外研社汉语分级读物——中文天天读
FLTRP Graded Readers — Reading China

8月8日，我们结婚

Let's Get Married on August 8th

3A

顾　问：魏崇新　张晓慧　吴丽君
主　编：朱　勇
编　著：王　波　朱　勇
翻　译：李娟娟

外语教学与研究出版社
FOREIGN LANGUAGE TEACHING AND RESEARCH PRESS

图书在版编目（CIP）数据

8月8日，我们结婚＝Let's Get Married on August 8th：3A／王波，朱勇编著；李娟娟译．－北京：外语教学与研究出版社，2009.3
（外研社汉语分级读物：中文天天读／朱勇主编）
ISBN 978－7－5600－8236－3

Ⅰ.8… Ⅱ.①王… ②朱… ③李… Ⅲ.汉语—对外汉语教学－语言读物 Ⅳ.H195.5

中国版本图书馆CIP数据核字（2009）第034382号

出 版 人：于春迟
责任编辑：庄晶晶
装帧设计：姚 军
插图绘制：北京碧悠动漫文化有限公司
出版发行：外语教学与研究出版社
社 址：北京市西三环北路19号（100089）
网 址：http://www.fltrp.com
印 刷：北京盛通印刷股份有限公司
开 本：889×1194 1／16
印 张：7
版 次：2009年3月第1版 2009年9月第3次印刷
书 号：ISBN 978－7－5600－8236－3
定 价：39.00元（含CD光盘一张）
＊ ＊ ＊
如有印刷、装订质量问题出版社负责调换
制售盗版必究 举报查实奖励
版权保护办公室举报电话：（010）88817519
物料号：182360001

众所周知，阅读是成人外语学习者获得语言输入的主要方式。只有加强阅读，增加语言输入量，才能更快地学好一门外语。基于此，如何让学习者有效利用课余时间，通过快乐阅读、随意阅读来促进其语言学习，一直是众多语言教学与研究者所关注的课题之一。

令人遗憾的是，适合各种水平汉语学习者阅读需要的汉语分级读物，长期以来一直处于相对短缺的状态。鉴于此，外语教学与研究出版社特意在 2007 年发起并组织编写了本套系列汉语分级读物——《中文天天读》，用于满足各级水平的汉语学习者的阅读需求，让学习者在快乐阅读的同时有效地提高自己的汉语水平。同时，也通过巧妙的关于中国社会、历史、文化背景的介绍与传达，为所有汉语学习者真正开启一扇了解当代中国的窗口。

因为《中文天天读》每一册的容量都不太大，且有少量的练习，所以它既可作为学习者的课外读物，也可作为阅读课和读写课的教材。《中文天天读》按语言难度分为五个等级，每级各有不同的分册，可适合不同级别学习者使用。文章字数等具体说明请看下表：

级　别	文章字数	词汇量	篇　目	已学时间
1级	100～150	500	25篇	三个月（160学时）
2级	150～300	1000	25篇	半年（320学时）
3级	300～550	3000	25篇	一年（640学时）
4级	500～750	3500	20篇	两年（1280学时）
5级	700～1200	5000	18篇	三年（1920学时）

为方便更多语种的学习者学习，《中文天天读》将陆续出版英、日、韩、西、德、法、意、俄等十多种语言的版本，学习者可根据情况自选。

《中文天天读》大致有以下几个模块：

1. 阅读前模块——导读。"导读"主要是一两个跟课文有关的问题，类似于课堂导入，主要是激发学生的兴趣，起到热身的作用（若作为教材使用，教师也可在此基础上扩展为课堂导入语）。

2. 阅读中模块，包括正文、边注词、插图。边注词是对课文生词进行随文对译和解释的一种方式，目的是帮助学习者扫清生词障碍，迅速获得词义。它有助于降低文章难度，保持阅读速度。插图也是《中文天天读》的一大特色。插图中反映的都是课文的核心内容，也经常出现课文中的关键句子。这些都有助于读者"见图知义"，快速理解课文内容。

3. 阅读后模块，包括语言点、练习题和小知识。语言点是对重点词语或结构的简单说明。每个语言点的第一个例句大多是课文中的原句，其他例句的目的是帮助学生"温故而知新"，句子中着力使用已学课文中的生词或者语境。练习题的题型主要有问答题、选择题、判断题、填表题等，都和内容理解有关。《中文天天读》的题量不大，因为过多的练习会破坏阅读的乐趣。小知识中，有的是跟课文内容密切相关的背景知识，读了以后直接有助于课文的理解；有的跟课文有一定关系，是对课文内容的补充和延伸；还有一种则跟课文内容基本无关，属于一般性的中国文化、历史地理知识介绍。

与同类材料相比，《中文天天读》具有以下特点：

1. 易读易懂。"容易些，再容易些"是我们编写《中文天天读》一直持有的理念。对于每篇选文的生词、字数我们都有严格的控制。我们还通过为边注词、语言点、小知识等配以英、日、韩、西等不同语种译文的方式，方便学习者更好地理解课文。此外，每课均配有与课文、小知识内容匹配的漫画或图片，通过这些关键线索，唤起读者大脑中的相关图式，有效地起到助读的作用。

2. 多样有趣。"兴趣是最好的老师"，我们力求选文富有情趣。选文伊始，我们即根据已有经验以及相关调查，对留学生的需求进行了分析，尽可能保证选文在一定程度上能够投其所好。具体体现在两个方面：（1）话题多样，内容丰富。这样可以保持阅读的新鲜感。《中文天天读》各册从普通中国人的衣食住行、传统风俗与现代生活的交替到中国当代的社会、经济、语言、文化等内容均有涉及，有的还从中外对比的角度叙述和分析，力求让读者了解到中国社会的真实面貌，同时还可以对学生的跨文化交际能力起到一定的指导作用；（2）文体多样，形式活泼。《中文天天读》采用记叙文、说明文、议论文、书信、诗歌、小小说等各种文体，不拘一格，让读者了解汉语不同体裁的文章，充分感受中文的魅力。

3. 注重实用。选文比较实用，其中不少文章都贴近留学生的生活。有的文章本身就是一些有助于留学生在中国的学习、生活、旅行、工作的相关介绍，可以学以致用。

4. 听读结合。《中文天天读》每册均配有相应的 CD，读者既可以通过"读"的方式欣赏地道的中文，也可以通过"听"的方式感受纯正的普通话。这两种输入方式会从不同的角度帮助学习者提高汉语水平。

在编写过程中，我们从阅读教学专家、全国对外汉语优秀教师刘颂浩先生那里获益良多；北京外国语大学中国语言文学学院的领导魏崇新、张晓慧、吴丽君三位教授欣然担任《中文天天读》的顾问，其他同事也给了我们很多帮助，特别是马晓冬博士提出了许多建设性的意见；外语教学与研究出版社汉语分社的领导和编辑给予本项目以大力支持，特别是李彩霞、周微、李扬、庄晶晶、颜丽娜五位编辑为本丛书的策划、编写作出了特别贡献；北外中文学院 2006 级、2007 级的 10 多位研究生在选文方面也给了我们很多帮助，在此一并致谢。

欢迎广大同行、读者批评指导，也欢迎大家将使用过程中发现的问题反馈给我们，以便再版时更上一层楼。联系方式：zhuyong1706@gmail.com。

朱勇

2009 年 1 月

Preface

It is common knowledge that reading is the primary input channel for adult learners of a foreign language. Extensive reading can ensure adequate language input and fast, efficient learning. Therefore, both language researchers and teachers emphasize large amount of reading in addition to classroom learning.

Regrettably, well designed and appropriately graded reading materials for second-language learners are hard to come by. Aware of the shortage, the Foreign Language Teaching and Research Press initiated in 2007 the compilation of *Reading China*, a series of readers tailored to the diverse needs of learners at different levels of Chinese proficiency. The readers feature fun stories of present-day China, with introductions on Chinese history, culture and everyday life.

This series can be used as in-class or after-class reading materials because every book from the series is brief in content and has a small amount of exercises. There are altogether five levels in the series, each consisting of several volumes. Please refer to the table below for specific data:

Level	Length of Texts (words)	Vocabulary	Number of Texts	Prior Chinese Learning
1	100 ~ 150	500	25	Three months (160 credit hours)
2	150 ~ 300	1000	25	Half a year (320 credit hours)
3	300 ~ 550	2000	25	One year (640 credit hours)
4	500 ~ 750	3500	20	Two years (1280 credit hours)
5	700 ~ 1200	5000	18	Three years (1920 credit hours)

Other language versions of the series, such as Japanese, Korean, Spanish, German, French, Italian and Russian, will come off the press soon to facilitate the study of Chinese learners with these language backgrounds.

Each book of the series includes the following modules:

1. Pre-reading—Lead-in. This part has one or two interesting warming-up questions, which function as an introduction to a new text. Teachers can develop their own class introductions on the basis of Lead-in.

2. Reading—Texts, Side Notes and Illustrations. Side Notes provide equivalents and explanations for new words and expressions to help learners better understand the text. This part also keeps the degree of difficulty of the texts within reasonable bounds so that learners can read them at a reasonable speed. Illustrations are another highlight of the series. They help learners take in at a glance the key sentences and main ideas of the texts.

3. After-reading—Language Points, Exercises and Cultural Tips. The Language Points part hammers home the meaning and usage of important words and expressions, or grammar points in one of the sentences from the text. Two follow-up example sentences, usually with words, expressions or linguistic contexts from previous texts, are given to help learners "gain new insights through review of old materials". In Exercises, a small amount of questions, choice questions, true or false questions and cloze tests, are designed to check learners' comprehension of the texts without spoiling the fun of reading. In Cultural Tips, background information is provided as supplementary reading materials. (Some are related to the texts and some are just general information about Chinese culture, history and geography.)

Reading China stands out among similar readers because of the following features:

1. User-friendlyness: "Reading should be as easy as possible", a principle consistently followed by the compilers, through strict control of the number of new words and expressions in each text, the Side Notes, the translations given in Language

Points and Cultural Tips, illustrations and pictures.

2. Diversity and fun: The compilers have taken great pains in choosing interesting stories because "interest is the best teacher". We also try to cater to foreign students' reading preferences by analyzing their learning expectations on the basis of our teaching experience and surveys. Firstly, a wide range of topics is included to sustain the freshness of reading. The stories touch upon many aspects of Chinese life. In some cases, similarities and differences between Chinese and foreign cultures are compared and analyzed to give learners a realistic idea about contemporary China and improve their cross-cultural communication ability. Secondly, different writing genres and styles are selected, such as narrations, instructions, argumentations, letters, poems, mini-stories, etc. In this way, learners can fully appreciate the charm of the Chinese language.

3. Practicality: Many texts are closely related to foreign students' life in China and contain practical information about studying, living, traveling and working in China.

4. Listening materials: CDs are provided for each book of the series. Integration of audio input through listening and visual input through reading will further improve learning results.

In the course of our compilation work, we have benefited a great deal from the expertise of Mr. Liu Songhao, an expert in teaching Chinese reading and an excellent teacher of Chinese as a second language. Mr. Wei Chongxin, Ms. Zhang Xiaohui, and Ms. Wu Lijun from the School of Chinese Language and Literature of the Beijing Foreign Studies University have served as highly supportive consultants. Quite a few other colleagues at SCLL, especially Dr. Ma Xiaodong, have provided many inspiring suggestions. Our heartfelt gratitude goes to the directors and editors of the FLTRP Chinese Publishing Division, in particular Li Caixia, Zhou Wei, Li Yang, Zhuang Jingjing and Yan Lina, for their contribution to the planning and compilation of this series. We also wish to thank more than ten postgraduate students of the years 2006 and

2007 at BFSU for their help in collecting materials.

We would greatly appreciate suggestions and comments from learners and teachers of Chinese as a second language and would accordingly improve the books in the future. Contact information: zhuyong1706@gmail.com.

Zhu Yong
January, 2009

目 录
Contents

1 艾米的信
A Letter from Amy / 10

2 咖啡应该怎么喝?
How to Drink Coffee? / 14

3 给自己的礼物
A Present for Oneself / 18

4 "请慢用"和"以后再说"
"Help Yourself" and "Maybe Later" / 22

5 北方和南方
The North and the South of China / 26

6 公园的早晨
Mornings in the Park / 30

7 别告诉我该做什么
Do Not Tell Me What to Do / 34

8 中国美食——火锅
Chinese Delicacy—Hotpot / 38

9 三个不同的选择
Three Different Choices / 42

10 中国人怎么买车?
How Do the Chinese Buy Cars? / 46

11 打招呼也不同
Different Peoples, Different Greetings / 50

12 中国的高考——考全家
College Entrance Exams in China—Testing the Whole Family / 54

13 8月8日,我们结婚
Let's Get Married on August 8th / 58

14 自相矛盾
The Story Behind the Phrase "Self-Contradiction" / 62

15 中国的茶馆
Teahouses in China / 66

16 海龟和海带
Sea Turtle and Kelp / 70

17 神奇的老鼠
Magic Mouse / 74

18 望京——北京的新韩国城
Wangjing—a New Korean Zone in Beijing / 78

19 "万"字难写
Difficult to Write the Character "万" / 82

20 不要忘了寄信!
Do Not Forget to Send the Letter! / 86

21 梨和苹果的故事
The Story of a Pear and an Apple / 90

22 我在南京的网络生活
My Life as a Netizen in Nanjing / 94

23 胡同里走出来的明星
A Superstar from Hutongs / 98

24 唐诗两首
Two Poems of the Tang Dynasty / 102

25 绑在一起的翅膀
Wings Tied Together / 106

练习答案
Answer Keys / 110

艾米的信

Àimǐ de xìn

A Letter from Amy

来中国以后，你给父母写过信吗？

你习惯这里的生活了吗？

想念 (xiǎngniàn) *v.*
miss

交 (jiāo) *v.*
make (friends with)

善良 (shànliáng) *adj.*
kind

热情 (rèqíng) *adj.*
warm, ardent

亲爱的爸爸、妈妈：

你们好！

你们想我吗？我很想念你们。爸爸的工作一定很忙吧？要多休息。妈妈的身体怎么样？

到今天为止，我到中国已经一个月了。我很喜欢这里，因为我交了很多中国朋友，他们很善良也很热情。认识他们我非常高兴。他们给我介绍了很多中国菜。那些菜我都很喜欢，特别是宫保鸡丁和西红柿炒鸡蛋。我也喜欢自己做饭，而且还给我的中国朋友介绍了很多法国菜。他们告诉我，我做的菜很好吃！周末的时候，我们一起去喝酒、唱歌，我还学了一些中文歌。有时我还会跟朋友一起去逛街，我最喜欢买衣服。买完衣服后，我们经常去超市买东西。

　　最近我的学习很忙，每天下课以后，我都要写汉字、听录音、做练习。因为我们下星期有一个很重要的考试，所以我得好好复习。我觉得学汉语虽然很难，但是很有意思。

　　祝你们健康快乐！

女儿：艾米

2008 年 11 月 26 日

宫保鸡丁
(Gōngbǎo Jīdīng)
Kung Pao Chicken

逛街 (guàngjiē) *v.*
go shopping

超市 (chāoshì) *n.*
supermarket

录音 (lùyīn) *n.*
recording

复习 (fùxí) *v.*
review (lessons)

想一想 Questions

周末时艾米
常常做什么？

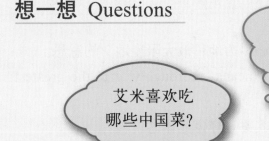

艾米喜欢吃
哪些中国菜？

最近艾米的学习
很忙吗？为什么？

语言点 Language Points

到……为止
till

1. 到今天为止，我到中国已经一个月了。

Till today, I have been in China for one month.

"到……为止"，是"到……停止"的意思。多用于时间、进度等方面。

"到……为止" means "stop till a certain time", often used in terms of time, progress, etc.

(1) 到现在为止，我已经认识了五位中国朋友。

(2) 到昨天为止，我已经来中国一个月了。

特别是
especially

2. 那些菜我都很喜欢，特别是宫保鸡丁和西红柿炒鸡蛋。

I like all those dishes, especially Kung Pao Chicken and scrambled egg with tomato.

"特别是"，表示突出强调几件事中的某一项，相当于"尤其是"。

"特别是" is used to emphasize one thing among several things, similar to "尤其是".

(1) 我很喜欢运动，特别是打篮球。

(2) 我很想念我的家人，特别是我奶奶。

好好
thoroughly

3. 下星期有一个很重要的考试，所以我得好好复习。

We have a very important exam next week, so I need to review my lessons thoroughly.

"好好"，副词。是"尽心尽力地；最大限度地"的意思。

"好好" is an adverb that means "thoroughly", "to the greatest degree".

(1) 这几天我太累了，我要好好休息休息。

(2) 这个问题有点儿难，请大家好好想一想。

练 习 Exercises

判断正误。 True or false.

(1) 艾米的朋友经常给艾米做中国菜。　　　　　(　　)

(2) 艾米不太喜欢吃中国菜。　　　　　　　　　(　　)

(3) 艾米周末有时跟朋友一起去唱歌。　　　　　(　　)

(4) 逛街的时候，艾米最喜欢买衣服。　　　　　(　　)

(5) 艾米觉得汉语不难，而且很有意思。　　　　(　　)

小知识 Cultural Tips

宫保鸡丁
Kung Pao Chicken

烹制宫保鸡丁的用料
ingredients for Kung Pao Chicken

　　宫保鸡丁，是四川传统名菜，也是留学生们最喜欢的中国菜之一。关于宫保鸡丁名字的由来，据说和中国清代一位担任"官保"职位的官员有关。宫保鸡丁由鸡丁、干辣椒、花生米等炒制而成。它的特点是鲜香细嫩，辣而不燥，略带甜酸的味道。

Kung Pao Chicken is a famous traditional dish of Sichuan cuisine, also one of the Chinese dishes favored by foreign students studying in China. Legend has it that its name is related to an official with the title of "Kung Pao" in the Qing Dynasty. Diced chicken, dry chili and peanuts are stir-fried to make the dish. Kung Pao Chicken features a tender taste, fresh aroma and a slightly spicy, sweet and sour flavor.

烹饪好的宫保鸡丁
the dish of Kung Pao Chicken

咖啡应该怎么喝?

Kāfēi yīnggāi zěnme hē?

How to Drink Coffee?

也许没有人不知道咖啡,
但很多人却不知道应该怎么喝咖啡。

咖啡因 (kāfēiyīn) *n.*
caffeine

兴奋 (xīngfèn) *adj.*
excited

**除了……以外
(chúle ... yǐwài)**
apart from, except

　　很多人都喜欢喝咖啡,特别是年轻人。咖啡里有咖啡因,人喝了会兴奋,身体也会热起来,而且不觉得累。中国的年轻人,现在除了喝茶以外,也越来越喜欢喝咖啡了。关于咖啡还有一句很有名的话:"我不在家,就在咖啡馆;我不在咖啡馆,就在去咖啡馆的路上。"但是,有些人也许不知道喝咖啡应该注意下面这些问题。

第一，注意时间。饭前不能喝，饭后可以喝。饭前喝咖啡会不想吃东西，但是在饭后喝，对消化很有帮助。另外，咖啡对有胃病的人很不好，它会刺激胃。

第二，加点儿牛奶。咖啡和牛奶一起喝，可以减少对身体的刺激。比如早饭时喝的咖啡奶，由于其中牛奶比咖啡多，对胃的刺激就小，饭前喝也没问题。

第三，不要喝太多。一天喝咖啡应该不超过两杯或三杯，否则，太多的咖啡因会让人不舒服。

消化 (xiāohuà) *v.* digest

胃 (wèi) *n.* stomach

刺激 (cìjī) *v.* stimulate

减少 (jiǎnshǎo) *v.* reduce, decrease

超过 (chāoguò) *v.* exceed

想一想 Questions

喝咖啡的好处是什么?

咖啡可以和牛奶一起喝吗?

为什么说"咖啡不能喝太多"?

语言点 Language Points

对······有帮助
be helpful to

1. 在饭后喝咖啡，对消化很有帮助。

A cup of coffee after meals is good for digestion.

"对······有帮助"，是"对······有好处"的意思。

"对······有帮助" means "be helpful to or good for".

（1）这本词典对学汉语有很大的帮助。

（2）看报纸对了解中国有帮助。

否则
or else

2. ······否则，太多的咖啡因会让人不舒服。

… Or else, too much caffeine will make you feel uncomfortable.

"否则"，连词。是"如果不是这样"的意思。连接两个小句，用在后一个小句的开头。

"否则" is a conjunctive word that means "or else", used to connect

two clauses and placed at the beginning of the latter one.

（1）你应该少吃点儿，否则，容易长胖。

（2）女朋友过生日的时候，应该送给她礼物，否则，她会生气。

练 习 Exercises

判断正误。True or false.

(1) 喝咖啡应该注意时间。　　　　　　（　　）

(2) 饭后喝咖啡对身体不好。　　　　　　（　　）

(3) 一天可以喝五杯咖啡。　　　　　　　（　　）

(4) 咖啡不可以和牛奶一起喝。　　　　　（　　）

(5) 中国的年轻人现在只喝咖啡不喝茶了。（　　）

小知识 Cultural Tips

咖啡与中国人的生活
Coffee and Chinese People's Life

　　以前，中国人喝咖啡还是件稀罕事，可现在，朋友见面、恋人约会时，一起喝杯咖啡已是司空见惯的事情。在咖啡馆优雅的环境里，品着香浓的咖啡，温馨而惬意。即使居家或办公时，冲杯咖啡提提神也是很平常的事情。

　　Coffee used to be a rarity for Chinese people. But now, it is common in China to drink coffee when friends meet or lovers date. It is cozy and relaxing to enjoy a cup of fragrant and strong coffee in a refined café. To get refreshed at home or in the office with a cup of coffee is also very common.

3

Gěi zìjǐ de lǐwù

给自己的礼物

A Present for Oneself

做每件事的时候，你都非常认真吗？

木匠 (mùjiang) *n.*
carpenter

老板 (lǎobǎn) *n.*
boss

妻子 (qīzi) *n.*
wife

盖 (gài) *v.*
build

认真 (rènzhēn) *adj.*
serious, careful

有个木匠年纪很大了。他告诉老板，自己太老了，想回家

跟妻子儿女一起好好生活，不工作了。老板不想让他走，问他

可不可以帮忙再盖一座房子。老木匠说可以。但是这次的工作，

他没有以前那么认真，盖的房子有很多问题。

房子盖好后，老板把房子的钥匙给了老木匠，说："这是你的房子，是我送给你的礼物。"老木匠很吃惊，也很后悔。如果他知道这是给自己盖的房子，他一定会非常认真，用最好的材料，盖最好的房子。可是现在，他只能住在这个质量不好的房子里。

我们每天都在"建造"自己的生活，有时也像这位老木匠，不是每件事都尽了自己最大的努力。我们常常找很多理由来原谅自己在生活中不尽力，原谅自己在工作中不努力。但是，当我们发现问题的时候，可能已经太晚了。

钥匙 (yàoshi) *n.* key
吃惊 (chījīng) *v.* be surprised
后悔 (hòuhuǐ) *v.* regret
质量 (zhìliàng) *n.* quality
建造 (jiànzào) *v.* build, construct
理由 (lǐyóu) *n.* reason
原谅 (yuánliàng) *v.* forgive

想一想 Questions

老木匠拿到钥匙以后后悔了吗?

这座房子是给谁盖的?

语言点 Language Points

再
again, once more

1. 老板不想让他走，问他可不可以帮忙再盖一座房子。

The boss did not want to let him go, and asked whether he could help again to build another house.

"再"，副词。表示一个动作（或一种状态）重复或持续，多指未实现的或经常性的动作。

"再" is an adverb that indicates a repetitive or continuing action (or a status), mostly one that is not realized yet or frequently occurs.

(1) 上海是个很美丽的城市，我希望明年再来。

(2) 他今天上午来过一次，下午就没再来。

尽
bring something into full play

2. 我们每天都在"建造"自己的生活……（但）不是每一件事都尽了自己最大的努力。

We are "building" our own life every day ... (but) we are not doing our best for everything.

"尽"，动词。是"全部用出，使发挥全部作用"的意思。

"尽" is a verb that means "bring something into full play".

(1) 做任何事，都要尽自己的最大努力。

(2) 我们要尽最大的可能去帮助他们。

练 习 Exercises

判断正误。True or false.

（1）老板对老木匠不好，所以老木匠要回家。　（　　）

（2）老木匠盖这座房子的时候和以前一样认真。　（　　）

（3）老木匠不知道这个房子是老板给他的礼物。　（　　）

小知识 Cultural Tips

中西建筑的差异

Differences Between Chinese and Western Architecture

　　中西建筑风格的差异首先来自于建筑原材料的不同。传统的中式建筑一直是以木头为构架，而传统的西方建筑则长期以石头为主体。其次是建筑技术的不同。中国的传统建筑以梁柱结构承担整个屋顶的重量，墙仅起围护和分割空间的作用；西方建筑流行以砖和石头筑成的墙体承重，屋顶采用半拱形结构。

　　The primary difference between Chinese and Western architecture lies in building materials. Traditional Chinese buildings use wood in framing, while stones, as the main material, are used in traditional western structures. Secondly, different technologies are employed. In traditional Chinese architecture, beam-post construction is used to hold up all the weight of the roof while walls only serve the purpose of enclosure and space-division. In contrast, walls of bricks and stones are commonly used in western architecture to bear all the weight, and the roofs are semi-arched.

"Qǐng màn yòng" hé "yǐhòu zài shuō"
"请慢用"和"以后再说"
"Help Yourself" and "Maybe Later"

如果你跟一个中国朋友聊天结束时，
她说："有时间来我家玩儿吧。"你知道她是什么意思吗？

遇到 (yùdào)
meet, come across

服务员 (fúwùyuán) *n.*
waiter

上菜 (shàngcài) *v.*
serve dishes

一来中国，我就认识了很多中国朋友。一天中午下课，我遇到一个中国同学。她问我："吃了吗？"我想她一定是想和我一起吃饭，就马上说："没有呢，我们一起去吧。"

她好像有点儿吃惊，但还是和我去了学校旁边的小饭馆。服务员上菜说："这是你们点的宫保鸡丁，请慢用。"

我不明白"请慢用"是什么意思。中国朋友说，就是"请你慢慢吃"的意思。我更奇怪了，我吃饭不快啊，为什么服务员让我"慢慢吃"？

吃完饭，中国朋友叫服务员结账。我知道该付钱了，就拿出钱准备付我那一半。没想到中国朋友急忙说："今天我请客！"

很久以后我才明白，中国人觉得吃完饭大家都拿出钱来，自己付自己的很没意思。他们喜欢这样：这次你花钱请客，下次我来付钱，第三次还是你，第四次又是我……

有一天，我跟一个中国朋友打电话聊天。我高兴地跟她聊起我去长城的事情，说了差不多半个小时。快挂电话时，她说："等你以后有时间，欢迎你来我家玩儿。"

那时我已经到中国半年了，我知道她的意思是"再见"，所以我也很"中国"地说："好，谢谢，以后再说吧。"

奇怪 (qíguài) *v.*
be puzzled

结账 (jiézhàng) *v.*
pay the bill

付钱 (fùqián) *v.*
pay

急忙 (jímáng) *adv.*
hurriedly, hastily

请客 (qǐngkè) *v.*
stand treat, treat sb.

差不多 (chàbuduō) *adv.*
almost

挂 (guà) *v.*
hang up

想一想 Questions

下课时，听了"我"的回答，同学为什么吃惊？

吃完饭，中国人喜欢怎么付钱？

语言点 Language Points

更
even more

1. ……我更奇怪了，我吃饭不快啊，为什么服务员让我"慢慢吃"？

… I was even more puzzled. I am not a quick eater, but why did the waitress ask me to "eat slowly"?

"更"，副词。表示程度高，用于比较。

"更" is an adverb that indicates a higher degree, normally used in comparison.

(1) 自从他当上了领导，工作比以前更忙了。

(2) 昨天的天气不好，今天的天气更不好。

再说
maybe later

2. 我也很"中国"地说："好，谢谢，以后再说吧。"

I said in a very "Chinese" way, "OK, thanks. Maybe later."

"再说"，动词。是"（把事情）留到以后做或考虑"的意思，前面常常有表示将来的时间，比如"以后"，"明天"，"下次"等。

"再说" is a verb that means "put off until some time later". Usually a future time is before it, e.g., "以后", "明天", "下次".

(1) 我今天有点儿累，买书的事明天再说吧。

(2) A：你将来想做什么工作？

B：我没想过，以后再说吧！

练习 Exercises

1. 判断正误。True or false.

(1) 服务员说"请慢用"，"我"不明白是什么意思。　　（　　）

(2) 我们在小饭馆里点了宫保鸡丁。　　（　　）

2. 连线。Match up the two columns.

  （1）在饭店上菜的时候，服务员说：   A."请慢走。"

  （2）客人走的时候，主人说：   B."请慢用。"

  （3）中午十二点半见到同学说：   C."吃了吗?"

3. 选出和划线部分意思最接近的一个。Choose the answer closest in meaning to the underlined part.

  （1）快<u>挂</u>电话时，她说："欢迎你来我家玩儿。"（　　）

    A. 找　　　B. 拨　　　C. 放　　　D. 打

  （2）<u>我也很"中国"地说</u>："好，谢谢，以后再说吧。"（　　）

    A. 我也像中国人一样　　　　B. 我说汉语也说得不错

    C. 我也去过很多中国人家　　D. 我常常和中国人聊天

小知识   Cultural Tips

中国人的客套话
Polite Expressions in Chinese

    在中国，恰当的客套话会给人亲切感。比如当你问别人问题时，要说"请问"；麻烦别人时要说"打扰"；别人有了好事，要说"恭喜"；求人帮忙要说"拜托"；中途先走要说"失陪"。这些都是应该学会的客套话。

    In China, proper polite expressions make people feel warm. For example, if you want to ask someone a question, you should say "请问" (excuse me). If you have to bother someone with something, you should say "打扰" (sorry to bother you). If something lucky happens to someone, you should say "恭喜" (congratulations). If you ask someone for a favor, you should say "拜托" (please do me a favor). If you have to leave halfway in parties, meetings, etc., you should say "失陪" (excuse me, I have to go now). These are polite expressions that we should learn.

5

北方和南方

The North and the South of China

中国是世界上面积（miànjī：area）第三大的国家。
中国的东部和西部，北方和南方有很多不同。

差别 (chābié) *n.*
difference

气候 (qìhòu) *n.*
climate

干燥 (gànzào) *adj.*
dry

潮湿 (cháoshī) *adj.*
humid

    今年一月，我从上海来到了北京，慢慢发现了中国南北方的很多差别。

    先说气候。北方比较干燥，南方比较潮湿。每年一月，最北边的黑龙江省气温很低，大概零下 30 摄氏度（ – 30℃），人们出门的时候要穿上厚厚的衣服。最南边的海南省却非常暖和，

26

人们都穿着夏天的衣服，还可以在海里游泳。

北方菜和南方菜也不一样。北方人喜欢咸一点儿的，南方人喜欢吃甜的；大多数北方人爱吃面食，而很多南方人却喜欢吃米饭。

让人想不到的是，南方人和北方人问路也不同。北方人，特别是北京人，常说"东、西、南、北"，而南方人却喜欢说"前、后、左、右"。从上海到北京的那天，下车以后，我用汉语问路，有人对我说："往东走！"可是我刚到北京，对这里很不熟悉，不知道哪儿是东，哪儿是南。所以，我根本不知道"往东走"是往哪儿走。

厚 (hòu) *adj.*
thick

游泳 (yóuyǒng) *v.*
swim

咸 (xián) *adj.*
salty

甜 (tián) *adj.*
sweet

根本 (gēnběn) *adv.*
at all

想一想 Questions

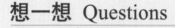

中国的北方和南方饮食习惯有哪些差别？

中国的北方和南方，气候各有什么特点？

南方人和北方人问路时有哪些不同？

语言点 Language Points

而
while, however

1. 大多数北方人爱吃面食，而很多南方人却喜欢吃米饭。

Most Northerners like to eat wheaten food while many Southerners prefer rice.

　　"而"，连词。表示转折关系，多用于书面。相当于"却"、"但是"。

　　"而" is a conjunctive word that is often used in written language and indicates a transition, similar to "却" or "但是".

　　(1) 我姐姐喜欢打篮球，而我喜欢踢足球。

　　(2) 他每天早上喝很多咖啡，而我常常喝牛奶。

熟悉
know about,
be familiar with

2. 可是我刚到北京，对这里很不熟悉。

But I am new in Beijing and do not know much about it.

　　"熟悉"，动词。是"清楚地知道"的意思。可与介词"对"搭配。

　　"熟悉" is a verb that means "know something very much and clearly". It can be used with the preposition "对".

　　(1) 他刚来几个月，还不熟悉这里的情况。

　　(2) 我去过西安很多次，对那儿非常熟悉。

练习 Exercises

1. 选择正确答案。Choose the correct answer.

(1) 今年一月，"我"从（　　）来到北京。

    A. 东南　　　　B. 上海　　　　C. 西部　　　　D. 北方

(2) 在气候方面，北方比南方（　　）。

    A. 咸　　　　　B. 潮湿　　　　C. 干燥　　　　D. 暖和

(3) "我"可能是（　　）。

    A. 上海人　　　B. 北京人　　　C. 出租车司机　　D. 外国人

2. 填写下面的表格。Fill in the table below.

	南方（人）		北方（人）	
饭菜	甜一点儿的			喜欢吃面食
一月的气温	比较高			

小知识 Cultural Tips

中国的东部和西部

The East and the West of China

    中国的地势是西高东低，西部多为高原和山地，气候比较干燥，东部离海近，交通比较发达，气候也比较温和。东部的人口比较密集，而西部则拥有丰富的自然资源。

    China is high in altitude in the west while low in the east. The west has more plateaus and mountains, and the climate is dry. However, the east, being near the sea, has a mild climate and enjoys highly developed transportation. Consequently, the east of China is more populated while the west is richer in natural resources.

公园的早晨

Gōngyuán de zǎochén

Mornings in the Park

你知道中国人早上一般在哪儿运动，
做什么运动吗？

附近 (fùjìn) *n.*
vicinity, neighborhood

坚持 (jiānchí) *v.*
persist in, stick to

安静 (ānjìng) *adj.*
quiet

太极拳 (tàijíquán) *n.*
tai chi, shadow boxing

北京有大大小小的公园两百多个，这些公园无论大小，开门都很早。每天都会有很多游客去公园，但是最早的客人却都是住在附近晨练的人。很多中国人，特别是中老年人，不仅喜欢晨练，而且坚持每天晨练。

人们开始晨练的时间不太一样。最早的五点就开始，而大多数人是六点到七点。这个时候你去公园，会看到很多人在做各种各样的运动。喜欢安静的人可以打太极拳；喜欢热闹的人可以听着音乐做操、跳舞；一个人可以散步、慢跑；两三个人可以打羽毛球、打网球；很多老人在公园里唱歌、唱京剧；还有人用很长的大毛笔在地上写字。

晨练是不是真的对身体有好处，不同的人有不同的看法。有的人觉得早晨的空气很新鲜，也有人认为早上的空气不太好，最好的运动时间是下午四点到六点。不过大多数中国人还是习惯早上运动，他们相信"早睡早起身体好"，相信在运动以后，可以轻轻松松地开始新的一天。

操 (cāo) *n.*
gymnastics, exercise

羽毛球 (yǔmáoqiú) *n.*
badminton

网球 (wǎngqiú) *n.*
tennis

京剧 (jīngjù) *n.*
Beijing opera

毛笔 (máobǐ) *n.*
Chinese writing brush

新鲜 (xīnxiān) *adj.*
fresh

轻松 (qīngsōng) *adj.*
relaxed

想一想 Questions

什么时间公园晨练的人最多？

每天最早来到公园的是什么人？

晨练的运动有哪些？

语言点 Language Points

不仅……而且……
not only …
but also …

1. 很多中国人……不仅喜欢晨练，而且坚持每天晨练。

Many Chinese ... not only love to do morning exercises, but also stick to it daily.

"不仅……而且……"，表示递进关系，后一分句比前一分句的内容在程度上更进一步。多用于书面语。

"不仅……而且……" indicates a progressive relation, often used in written language. This structure is used to express the content of the latter clause goes a step further in degree than that of the former one.

(1) 这个留学生不仅会说英语，而且会说法语。

(2) 这件衣服不仅很漂亮，而且非常便宜。

打
do, play

2. 喜欢安静的人可以打太极拳；……两三个人可以打羽毛球、打网球。

Quiet people can do shadow boxing; … Two or three people can play badminton and tennis together.

"打"，动词。表示做某种游戏或运动（多用手进行）。

"打" is a verb that indicates "play certain games or sports (often with hands)".

(1) 周末我常常喜欢和朋友们一起打篮球。

(2) 昨天我打了 3 个小时网球，太累了。

练习 Exercises

1. 判断正误。True or false.

    （1）北京有三百多个公园。　　　　　（　）

    （2）有的北京人五点钟就开始晨练。　（　）

    （3）大多数中国人喜欢早上运动。　　（　）

2. 根据课文内容填空。Fill in the blanks according to the text.

    喜欢 _____ 的人可以打太极拳；喜欢热闹的人可以听着音乐 _____、跳舞；一个人可以 _____、_____；两三个人可以打 _____、打网球。

小知识 Cultural Tips

北京的公园 **Parks in Beijing**

颐和园
the Summer Palace

    北京有很多公园，其中比较有名的有颐和园、天坛公园、北海公园、景山公园、香山公园等。颐和园在北京的西北郊，是中国皇家园林的代表。北海公园和景山公园都在故宫的附近，也是中国古代的皇家园林。天坛公园是明、清两代皇帝"祭天"、"祈谷"的场所。

    There are many parks in Beijing, among which the famous ones are the Summer Palace, the Temple of Heaven, Beihai Park, Jingshan Park, Fragrant Hills Park, etc. Located in the northwestern part of Beijing, the Summer Palace is a typical Chinese royal garden. Both Beihai Park and Jingshan Park are near the Forbidden City and are also ancient royal gardens. The Temple of Heaven is the place where the emperors of Ming and Qing dynasties "made sacrifices to Heaven" and "prayed for good harvests".

天坛公园
the Temple of Heaven

7

Bié   gàosu   wǒ   gāi   zuò   shénme

别告诉我该做什么

Do Not Tell Me What to Do

外国人到了中国，
跟中国人交流也许会出现一些问题。

应该……

这些人怎么回事？

邻居 (línjū) *n.*
neighbour

微笑 (wēixiào) *v.*
smile

可爱 (kě'ài) *adj.*
lovely

有位外国妈妈每次带她的孩子出去，都会在路上遇到中国邻居。她们总是会停下来，看看她的孩子，微笑着说："这孩子真漂亮！真可爱！孩子多大了？你每天都带他出来散步吗？"

开始的时候，这位妈妈很高兴，也愿意回答这些问题。

可是，问题却越来越多了。人们开始问："这孩子像你，还是像他爸爸？""孩子每天吃什么？"后来，很多中国妈妈非常认真地告诉她："这么冷的天你不能只给孩子穿袜子，一定要穿上鞋！"特别是一些年纪大的妈妈或者奶奶还会说："如果你不给孩子穿鞋，孩子一定会生病的！"

当第十个人这样说的时候，外国妈妈终于有点儿生气了。她问自己的中国朋友："我是孩子的妈妈，这是我的孩子。她们为什么要告诉我该怎么做？"

她的中国朋友赶忙告诉她："这些人可能觉得，这里的天气又干又冷，你还不太了解。而且，对中国妈妈们来说，把自己照顾孩子的经验告诉年轻的妈妈，是应该做的，也是一定要做的。特别是年纪大的女性，更觉得帮助年轻的妈妈是自己的责任。"

袜子 (wàzi) *n.*
socks, stockings

赶忙 (gǎnmáng) *adv.*
hurriedly

了解 (liǎojiě) *v.*
know sth./sb. well

照顾 (zhàogù) *v.*
look after, take care of

经验 (jīngyàn) *n.*
experience

女性 (nǚxìng) *n.*
female

责任 (zérèn) *n.*
responsibility

想一想 Questions

这位外国妈妈喜欢回答中国邻居的问题吗？为什么？

为什么这些中国邻居常常要告诉外国妈妈应该怎么做？

语言点 Language Points

后来
later, afterwards

1. 后来，很多中国妈妈非常认真地告诉她："这么冷的天你不能只给孩子穿袜子，一定要穿上鞋！"

And later, many Chinese mothers told her, "It is cold here. Make sure the kid wears his shoes, not just socks!"

"后来"，名词。是"在过去某一事件之后的时间"的意思。

"后来" is a noun that means "a time point after a certain event".

（1）小时候他是我的好朋友，后来是我的男朋友，现在是我的先生。

（2）他以前在上海住，后来去了美国。

终于
finally, at last

2. 当第十个人这样说的时候，外国妈妈终于有点儿生气了。

When the tenth person said so, the foreign mother finally got a little bit angry.

"终于"，副词。表示经过长时间努力或种种变化后，出现了某种结果。

"终于" is an adverb that indicates a certain result is achieved after long-term efforts or many changes.

（1）老木匠终于盖完了房子，可以不工作了。

（2）我们花了两个小时的时间，终于爬到了山顶。

练 习 Exercises

1. 判断正误。True or false.

（1）中国邻居非常关心那个外国孩子。　　　　　　（　　）

（2）中国邻居想认识孩子的爸爸。　　　　　　　　（　　）

2. 选择正确答案。Choose the correct answer.

（1）在"帮助年轻的妈妈是自己的责任"里，"责任"的意思是（　　　）。

　　A. 一定要做的事　　B. 可以做的事　　C. 不会做的事　　D. 不是自己的事

（2）关于外国妈妈，下面的说法不正确的是（　　　）。

　　A. 有很多的中国邻居　　　　　　B. 有时不给孩子穿鞋

　　C. 开始遇到中国邻居时很高兴　　D. 一直不想回答问题

小知识 Cultural Tips

个性化与整体观
Individualism vs. Collectivism

　　由于社会和文化体系的不同，东西方人在思维方式上总会存在一些差异。就拿中国人来说，中国人更多地注重整体或团体，而西方人更多地注重个体。两种思维方式没有优劣之分，只有互相了解，才能更有利于交流。

Due to the diversities in social and cultural systems, there are always differences in the thinking modes of the oriental people and westerners. For example, Chinese people attach more importance to a collective or a whole community while westerners emphasize the individual. However, there is nothing inherently good or bad about these two modes of thinking. Only through mutual understanding can we achieve better communication.

Zhōngguó měishí — huǒguō

中国美食——火锅

Chinese Delicacy—Hotpot

你吃过火锅吗？

下面我们一起来了解一下火锅。

红火 (hónghuo) *adj.*
booming, thriving

种类 (zhǒnglèi) *n.*
variety, type

新式 (xīnshì) *adj.*
of latest/new style

火锅是中国最常见的美食之一，中国的很多城市都有火锅店。秋天和冬天吃火锅最好。天气越冷，火锅店的生意越红火。

人们喜欢火锅的原因很多。

第一，火锅种类多，既有传统火锅，也有多种新式火锅，例如鱼头火锅、菊花火锅、四季火锅等等，满足了顾客的各种口味。

第二，火锅原料多种多样，肉、鱼、虾、蔬菜、豆腐等，都可以做火锅原料。这样，你可以一次吃到几十种不同食物。

第三，火锅的做法很简单，把原料放到锅里涮一涮，熟了就能吃了。

第四，也是最重要的一个原因——火锅非常适合朋友们一起吃。大家坐在火锅旁边，选择自己爱吃的食物，边吃边聊，非常随意，交流也更加方便。

火锅虽然非常好吃，但在吃火锅时有两点需要注意：一要注意原料新鲜；二要注意涮的时间，食物在锅里涮的时间既不能太长，也不能太短。

满足 (mǎnzú) *v.* satisfy
口味 (kǒuwèi) *n.* taste
原料 (yuánliào) *n.* raw material
涮 (shuàn) *v.* scald, boil
随意 (suíyì) *adj.* at will

想一想 Questions

吃火锅时需要注意什么?

什么时候吃火锅最好?

人们为什么喜欢吃火锅?

语言点 Language Points

是……之一
be one of

1. 火锅是中国最常见的美食之一。

Hotpot is one of the most common delicacies in China.

"A是B之一"，表示A是B其中的一个。

"A是B之一" indicates A is one of B.

（1）他是我最好的朋友之一，我们经常一起喝啤酒、唱卡拉OK。

（2）颐和园是北京最有名的公园之一。

既……
也/又……
both … and …,
as well as

2. 火锅种类丰富，既有传统火锅，也有多种新式火锅。

There are a variety of hotpots, including traditional ones as well as new-style ones.

"既……也/又……"，表示两种情况都有。

"既……也/又……" indicates two statements are both true.

（1）我的一个朋友既去过中国的南方，也去过中国的北方。

（2）北京的公园里既可以散步，又可以打太极拳。

……等
and so on

3. 肉、鱼、虾、蔬菜、豆腐等，都可以做火锅原料。

Meat, fish, shrimps, vegetables, bean curd, and so on, all can be used for hotpot.

"等"，助词。表示列举未尽。

"等" is an auxiliary word that indicates a non-exhaustive list.

（1）"五·一"劳动节的时候，学生们参观了上海、西安等城市。

（2）他的爱好很多，比如打篮球、唱歌等。

练 习 Exercises

判断正误。 True or false.

(1) 在中国，火锅店有很多。　　　　（　　）

(2) 火锅的做法十分麻烦。　　　　　（　　）

(3) 很多东西都可以做火锅的原料。　（　　）

(4) 吃火锅的时候大家都很轻松随意。（　　）

小知识 Cultural Tips

中国菜
Chinese Cuisines

　　中国菜主要有八大菜系：鲁菜、川菜、粤菜、闽菜、苏菜、浙菜、湘菜、徽菜。中国菜的原料大多加工成小块宜食的尺寸，不像西餐在食用时还要进行二次切割。有些原料经厨师的刀工后可拼成栩栩如生的美丽图案。中国菜烹调方法非常多，有凉拌、炒、蒸、煮、煎、炸、焖、焗、炖、煨、烧等几十种，每一种又可分为好多小类。火锅是最简单的做法，不过对汤料和调料也很讲究。

There are eight major Chinese cuisines, namely Shangdong, Sichuan, Guangdong, Fujian, Jiangsu, Zhejiang, Hunan and Anhui. Unlike the materials in western food, which need cutting when eating, materials in Chinese food are often chopped into pieces and are easy to chew. Some materials can be made into vivid patterns by talented cooks. There are dozens of ways of cooking in Chinese cuisine, such as cold dishes with dressing sauce, stir-frying, steaming, boiling, frying, deep-frying, simmering, gratinating, stewing, and braising. Each is divided into several sub-categories. Hotpot is the easiest way of cooking but its soup and seasonings must meet certain requirements.

9

Sān gè bù tóng de xuǎnzé

三个不同的选择

Three Different Choices

如果你今天的决定会影响你三年后的生活，

你会怎么选择？

给我火！

监狱 (jiānyù) *n.*
prison

允许 (yǔnxǔ) *v.*
permit

要求 (yāoqiú) *n.*
request

浪漫 (làngmàn) *adj.*
romantic

　　有 ABC 三个人要被关进监狱三年，监狱长允许他们一人

提一个要求。

　　A 爱抽烟，要了三箱烟。

　　B 最浪漫，要一个美丽的女子和他一起生活。

　　而 C 说，他要一部与外面联系的电话。

三年过后，第一个跑出来的是 A。他嘴里、鼻孔里塞满了烟，一出来就大喊道："给我火，给我火！"原来他忘了要火了。

接着出来的是 B。只见他手里抱着一个小孩子，美丽的女子手里牵着一个小孩子，而在她肚子里还有他们的第三个孩子。

最后出来的是 C。他紧紧握住监狱长的手说："这三年来我每天与外面联系，我的生意不但没有停下来，反而增长了200%。我一定要送你一辆汽车！"

这个故事告诉我们，ABC 三个人今天的生活是他们三年前的选择决定的。什么样的选择决定什么样的生活。

嘴 (zuǐ) *n.*
mouth

塞 (sāi) *v.*
stuff

火 (huǒ) *n.*
fire

牵 (qiān) *v.*
lead

握住 (wòzhù)
take hold of

增长 (zēngzhǎng) *v.*
increase

选择 (xuǎnzé) *n.*
choice

想一想 Questions

你喜欢什么样的生活？

你觉得谁的选择比较好？

如果是你，你会做什么选择？

语言点 Language Points

被
(an indicator of passiveness)

1. 有三个人要被关进监狱三年。

There were three people who would be put into prison for three years.

　　"被"，介词。用于被动句，引进动作的发出者，前面的主语是动作的接受者。

　　"被" is a preposition used in a passive voice to introduce the subject of the action. The subject before it is the object that the action acts upon.

　　(1) 那本《8月8日，我们结婚》被我送给一个同学了。

　　(2) 对不起，我的自行车被朋友骑走了，你还是问问别人吧。

反而
instead

2. 我的生意不但没有停下来，反而增长了200%。

My business did not stop, but instead increased by 200%.

　　"反而"，副词。表示跟前文意思相反或出乎意料之外，在句中起转折作用。

　　"反而" is an adverb used for transition. It introduces an opposite meaning or an unexpected situation.

　　(1) 风不但没有停，反而更大了。

　　(2) 小王家住得最远，反而到校最早。

什么
what (something indefinite)

3. 什么样的选择决定什么样的生活。

Whatever choice you make, it will determine the life you live.

　　"什么"，代词。在这里不表示疑问。两个"什么"连用，表示由前者决定后者。

　　"什么" is a pronoun that does not indicate a question here. The two "什么" are used together to indicate the former determines the latter.

　　(1) 家里有什么就吃什么，我不想去超市了。

　　(2) 你想去什么地方就去什么地方，我都听你的。

练 习 | Exercises

选择正确答案。Choose the correct answer.

(1) 这三个人将要在狱里关（　　　）。

    A. 一年   B. 两年   C. 三年   D. 四年

(2) 第一个人喜欢（　　　）。

    A. 烟   B. 美女   C. 做生意   D. 打电话

(3) 第二个人的要求是（　　　）。

    A. 一个美女   B. 一个孩子   C. 有电话   D. 三箱烟

(4) 这个故事主要讲的是（　　　）。

    A. 三个人喜欢的东西不同   B. 第三个人很感激监狱长

    C. 第一个人这个人很笨   D. 选择决定命运（mìngyùn：destiny）

小知识 Cultural Tips

桂林山水甲天下
Guilin, A Top Scenery in China

桂林是一座文化古城，有两千多年的历史，具有丰厚的文化底蕴。桂林也是世界著名的风景游览城市，有壮观的喀斯特地貌。这里"山青、水秀、洞奇、石美"，人称"桂林四绝"，因此自古就有"桂林山水甲天下"的美誉。

Guilin is a famous ancient city with a rich culture endowed by its two-thousand-year-long history and is blessed with Karst geomorphology. It is also a tourist city with a worldwide fame. Guilin is said to have four

unique beauties, which are "blue mountains, graceful waters, extraordinary caves and beautiful rocks" and thus has enjoyed the fame of "Guilin, A Top Scenery in China" since ancient times.

10

Zhōngguórén zěnme mǎi chē?

中国人怎么买车?

How Do the Chinese Buy Cars?

你买过车吗?

你或者你的朋友是怎么买车的?

销售 (xiāoshòu) v.
sell

公司 (gōngsī) n.
company

免费 (miǎnfèi) v.
be free of charge

星期六早上走进汽车销售公司,一边吃着免费的汉堡,一边看车、听介绍,不一会儿,付钱、拿车钥匙、开车回家——这是美国人在买车。

慢慢走到汽车销售公司,告诉他们自己想要什么车,然后回家,等几个星期,自己买的车才能送到。虽然慢,可这一定是

"自己的车"，和别人的车不一样——这是欧洲人在买车。

那么中国人呢？有人说，中国人买车像读 MBA，要找很多资料，还要经常"做作业"：每种车多少钱？哪国的？有什么特点？如果以后车坏了，修车方便不方便？还有最重要的，每千米要用多少油？最后，拿着几种自己最满意的车的资料，去销售公司试车。中国人很少一个人看车买车，而是全家都去。虽然太太可能不懂车，孩子可能也不懂车，但也要一起去看，最后一起决定。

汉堡 (hànbǎo) *n.*
hamburger

资料 (zīliào) *n.*
data, material

特点 (tèdiǎn) *n.*
characteristic

修 (xiū) *v.*
repair, fix

方便 (fāngbiàn) *adj.*
convenient

油 (yóu) *n.*
petrol

想一想 Questions

你觉得为什么中国人买车时喜欢全家人一起去看？

美国人买车有什么特点？欧洲人呢？

为什么说中国人买车像读 MBA？

语言点 Language Points

不一会儿
in no time

1. 不一会儿，付钱、拿车钥匙、开车回家——这是美国人在买车。

In no time, they pay, get the key and drive home—that is how Americans buy their cars.

"不一会儿"相当于"一会儿"，表示在很短的时间内。

"不一会儿" is similar to "for a while", indicating "within a very short period of time".

(1) 今天的作业很容易，我不一会儿就做完了。

(2) 小王很会做菜，不一会儿就做好了宫保鸡丁和西红柿炒鸡蛋。

像
be like

2. 中国人买车像读 MBA，要找很多资料。

The way the Chinese buy their cars is like studying for an MBA, they need a lot of materials.

"像"，动词。是"仿佛，好像"的意思。可和"似的"、"一样"、"一般"搭配。

"像" is a verb that means "be like". It can be used together with "似的", "一样", "一般".

(1) 老人疼我像疼自己的儿子一样。

(2) 这位美国老人也像中国人一样，每天早晨去公园打太极拳。

练 习 Exercises

1. 判断正误。True or false.

　(1) 中国人买车的时候，认为用油多少很重要。　　(　)

　(2) 欧洲人买车喜欢自己的车跟别人的不一样。　　(　)

　(3) 在中国，买车的时候一般一个人去。　　　　(　)

2. 填写下面的表格。Fill in the table below.

	美国人	欧洲人	中国人
花多长时间			
跟谁去			
什么问题重要			

小知识 Cultural Tips

中国车牌的颜色
Colors of License Plates on Cars in China

大型民用汽车：黄底黑字。

小型民用汽车：蓝底白字。

武警专用汽车：白底红"WJ"、黑字。

使领馆外籍汽车：黑底白字及一个"使"字标志。

其它外籍汽车：黑底白字。

Large civil cars use black letters on a yellow background.

Small civil cars use white letters on a blue background.

Cars of armed police use red "WJ" and black letters on a white background.

Cars owned by foreign embassies and consulates use white letters and a Chinese character "使" on a black background.

Other cars owned by foreigners in China use white letters on a black background.

打 招 呼 也 不 同

Different Peoples, Different Greetings

如果你在路上看到认识的人，你是怎么打招呼的呢？

吓一跳 (xià yī tiào)
startle

问候 (wènhòu) *v.*
greet

笑容 (xiàoróng) *n.*
smile

我叫玛丽，是美国人，我来中国一年了。刚到中国时，我像在美国一样，遇到不认识的人也笑着打招呼。如果在街上，我说"Hi"；如果在学校里，我说"Hello"。但是，我发现，我的做法有时候会让中国人吓一跳！比如，我在校园里遇到中国同学，就先笑着问候他们。但是，他们看到我的笑容都有点儿吃惊。有的人也会笑着点头，还有些人虽然听到了，却没反应。

为什么呢？我觉得很奇怪。看来，我还不太了解中国人。

我的法国同屋告诉我："中国人对认识的人微笑比较多，对不认识的人微笑比较少。我刚来的时候，也没有中国同学主动跟我打招呼。但现在我们熟悉了，在图书馆、食堂遇到了，他们都会笑着跟我打招呼。"

听完她的话，我才知道中国人是怎么打招呼的：他们不习惯跟不认识的人打招呼，大多数中国人只是在有事的时候才跟不认识的人打招呼。亲爱的朋友，我说得对吗？

反应 (fǎnyìng) *n.*
response

大多数 (dàduōshù) *n.*
majority

想一想 Questions

刚来中国的时候，"我"是怎么和别人打招呼的？

在你的国家，人们一般怎么打招呼？

语言点 Language Points

看来
seem

1. 我觉得很奇怪。看来，我还不太了解中国人。

I felt amazed. It seemed that I did not know much about the Chinese yet.

"看来"，插入语。表示依据客观情况估计。

"看来" is a parenthesis that indicates "estimate or make a conjecture based on facts".

(1) 你们都不说话，看来是不同意我的意见。

(2) 都这么晚了他还没到，看来他不会来了。

主动
spontaneous

2. 我刚入学的时候，也没有中国同学主动跟我打招呼。

When I was new at school, none of my Chinese classmates took the initiative to greet me.

"主动"，形容词。是"不等待外力推动而行动"的意思。

"主动" is an adjective that means "act without being urged or pushed by others".

(1) 在公共汽车上，他主动把座位让给了老人。

(2) 那个女孩儿今天早上主动对我说："我很喜欢你！"

练习 Exercises

选择正确答案。Choose the correct answer.

（1）"我"问候不认识的人时（　　）。

　　A. 他们笑着跟我打招呼　　　　B. 他们有点儿吃惊

　　C. 他们都没反应　　　　　　　D. 他们很高兴

（2）"我"觉得奇怪是因为（　　）。

　　A. 有的中国人对我的招呼没反应　　B. 中国人不热情

　　C. 中国人不喜欢跟外国人打招呼　　D. 中国人的笑容很奇怪

（3）下面说法正确的是（　　）。

　　A. 中国人对认识的人微笑多　　　B. 中国人喜欢主动跟"我"打招呼

　　C. "我"是法国人　　　　　　　D. "我"以后不会和不认识的人打招呼了

小知识 Cultural Tips

中国人打招呼的方式
The Chinese Ways of Greeting

　　中国人打招呼并非只是说"你吃了吗？"，也常说"你好！"并且，人们打招呼的方式越来越多元化，常会根据环境、人物及人物的年龄灵活处理。比如遇到上班族，会问："最近忙吗？"遇到老人，会问："最近身体好吗？"遇到老师，会问"今天有课吗？"不过，现在的年轻人见面一声"Hello！"也已司空见惯。

　　When the Chinese greet each other, they do not just say "你吃了吗？" (Have you eaten?) They also say "你好！" (How are you?) In addition, people greet in more and more diversified ways, depending on the context, the people to greet and their ages. For example, one will ask an office worker, "Are you busy lately?" To elder people, one can say "Do you feel fine recently?" As for teachers, one can ask "Do you have classes today?" It is also common among young people to greet each other just with "Hello!"

12

Zhōngguó de gāokǎo — kǎo quán jiā

中国的高考——考全家

College Entrance Exams in China—Testing the Whole Family

在你的国家，上大学容易吗？

做学生辛苦吗？

请假 (qǐngjià) v.
ask for leave

预订 (yùdìng) v.
book, make a
reservation

一生 (yīshēng) n.
all one's life

2007 年 6 月 7 日，高考第一天，全国有 1 000 多万高三学

生走进了考场。他们中最后能上大学的只有 570 万左右。

很多父母这一天都请假不上班，一家三口人都来到考场。

一些学生的家比较远，父母还给他们预订了考场附近的宾馆。

早上九点，考试开始。有的父母马上回家给孩子准备午饭，更多的父母会留在考场外面等孩子。虽然不少父母工作忙，很难请假，但是他们都觉得高考和结婚、生孩子一样，是一生只有一次的大事，所以这三天的高考，一定要和孩子在一起。

其实，从考试前半年甚至一年起，很多考生的父母就已经在做准备了。他们帮孩子制订复习计划，安排日常生活，并带孩子参加各种辅导班。有的父母每天都陪着孩子复习，孩子睡了自己才睡，甚至每天夜里还要起床看看孩子，怕孩子感冒生病。第二天早上六点多，又要叫孩子起床上学。这样的考试不只是对考生一个人的考验，也是对他们一家人的考验。

制订 (zhìdìng) v.
make, draw up

安排 (ānpái) v.
arrange

辅导班 (fǔdǎobān) n.
tutorial class

陪 (péi) v.
accompany

甚至 (shènzhì) adv.
even

考验 (kǎoyàn) v.
test, be a trial of

想一想 Questions

孩子高考时，很多父母为什么要请假？

在你的国家，人们是怎么考大学的?

为什么父母夜里还要起床看看孩子？

语言点 Language Points

其实
in fact

1. 其实，从考试前半年甚至一年起，很多考生的父母就已经在做准备了。

In fact, six months or even one year before the examination, parents of many examinees start to prepare for it.

"其实"，副词。表示所说的是实际情况，对上文进行补充或者修正。

"其实" is an adverb that indicates what to be said is a fact, supplementing or correcting the preceding part of the text.

（1）大家都知道他是一位运动员，其实他也是一位老师。

（2）我这么做不只是为了帮助你，其实也是为了我自己。

才
then and only then,
not until, only when

2. 有的父母每天都陪着孩子复习，孩子睡了自己才睡。

Some parents will accompany their children every day when they review their lessons, and will not go to bed until their children do.

"才"，副词。用在表示时间的词语后，说明事情发生或结束得晚。

"才" is an adverb used after a time indicator to indicate "take place or end late".

（1）昨天晚上他 12 点才回来，别人都已经睡觉了。

（2）已经上课十分钟了，你怎么才来啊？

练习 Exercises

1. 选择正确答案。Choose the correct answer.

（1）下列关于"高考"的说法，正确的是（　　）。

A. 是中国的大学入学考试　　　　　B. 在每年冬天开始

C. 一共只有一天　　　　　　　　　D. 每个人都能考好

（2）"考全家"的意思是（　　）。

A. 父母也要付出很多努力　　　　　B. 很多父母请假不上班

C. 全家一定要住进宾馆　　　　　　D. 父母也要参加考试

2. 根据课文内容填空。Fill in the blanks according to the text.

（1）孩子高考前，父母做的事：＿＿＿＿＿＿＿＿＿＿＿＿＿＿＿＿＿＿＿＿＿＿＿＿。

（2）孩子高考时，父母做的事：＿＿＿＿＿＿＿＿＿＿＿＿＿＿＿＿＿＿＿＿＿＿＿＿。

小知识 Cultural Tips

中国的高考
The College Entrance Exams in China

　　高考是中国目前选拔人才的一个重要途径。1977 年中国恢复高考制度，给中国的高等教育带来了生机，为国家培养出大批人才。1999 年中国高校进行大规模扩招，高等教育从当年的精英化走向大众化。然而，高考对每位考生来说，仍是他们人生中的一个重要关口。

　　The college entrance exams are an important method to select talents in China. The system of college entrance exams was resumed in China in 1977, which brought vitality to China's higher education and has trained large numbers of talents for the nation. In 1999, large-scale recruitment enlargement for higher education was implemented and the once elite-oriented higher education became popularized. However, college entrance exams still remain a crucial point in every examinee's life.

13

8 yuè 8 rì, wǒmen jiéhūn

8月8日，我们结婚

Let's Get Married on August 8th

你知道中国人喜欢在什么日子结婚吗？
中国人的婚礼是什么样的呢？

系 (jì) *v.*
tie, fasten

气球 (qìqiú) *n.*
balloon

双数 (shuāngshù) *n.*
even number

　　8月8日的早上8点，你会发现北京的大路小路上，忽然出现了很多系着鲜花和红气球的汽车。这天中午，你又会发现不少饭店门口都有很多人，他们高兴地等在那里。为什么会这样呢？因为中国人认为这一天是结婚的好日子。

　　除了8月8日，中国人还喜欢在2月2日、6月6日、10

58

月 10 日等日子结婚，因为这些日子的"月"和"日"都是双数，两个人就会"一双一对"。"5"因为听起来有点儿像"幸福"的"福"，所以也很受欢迎。9 月 9 日这天，结婚的人也特别多，因为在汉语里，"9"和"久"的发音一样，有"永远"的意思。

　　讲究结婚的日期是中国人的老习惯。但是有一些传统婚礼的习俗，经过了几千年的时间，由于各种原因，现在已经看不到了。比如，在过去的婚礼上，新娘从头到脚都应该穿红色；从婚礼开始到结束，新娘头上一直盖着一块红布，新娘看不到新郎，新郎和其他人也都看不到新娘的脸。而现在，新娘头上已经不用盖什么东西了，她们一般都穿白色的婚纱，或者先穿白色的婚纱，婚礼中间休息的时候再换成红色的旗袍。

| 幸福 (xìngfú) *n.* happiness |
| 婚礼 (hūnlǐ) *n.* marriage ceremony |
| 习俗 (xísú) *n.* custom, convention |
| 经过 (jīngguō) *v.* undergo, pass, go through |
| 结束 (jiéshù) *v.* end |
| 盖 (gài) *v.* cover |
| 婚纱 (hūnshā) *n.* wedding gown/dress |
| 旗袍 (qípáo) *n.* mandarin gown, cheongsam |

想一想 Questions

中国人一般怎么选择结婚日期？

在你的国家，人们讲究结婚的日期吗？

语言点 Language Points

结婚
marry

1. 8月8日，我们结婚。

Let's get married on August 8th.

　　"结婚"，动词。是"男子和女子结合成为夫妻"的意思，后面不能直接带宾语，一般说"和／跟……结婚"。

　　"结婚" is a verb that means "a man and a woman become a couple". Normally, we say "和／跟……结婚", with no direct object after it.

　　(1) 我和周丽已经相爱很长时间了，我想今年秋天跟她结婚。

　　(2) 爸爸妈妈是 1980 年 3 月 26 日结婚的。

忽然
all of a sudden

2. 北京的大路小路上，忽然出现了很多系着鲜花和红气球的汽车。

All of a sudden, there are many cars decorated with flowers and red balloons on streets of Beijing.

　　"忽然"，副词。表示情况发生得迅速而又出人意料。

　　"忽然" is an adverb that indicates "turn up abruptly and beyond one's expectation".

　　(1) 刚才还是晴天，怎么忽然下起大雨来了？

　　(2) 忽然，我的眼前全黑了，什么都看不见。

讲究
be particular about,
value

3. 讲究结婚的日期是中国人的老习惯。

It is a Chinese tradition to choose a date for a wedding carefully.

　　"讲究"，动词。是"追求；重视"的意思。

　　"讲究" is a verb that means "be particular about, value".

　　(1) 她不讲究吃，也不讲究穿，很节俭。

　　(2) 小王一家很讲究卫生，房间总是干干净净的。

练习　Exercises

1. **判断正误。**True or false.

（1）北京人结婚的时候一般在饭店吃午饭。　　　　　　（　　）

（2）中国人不太喜欢"5"这个数字。　　　　　　　　　（　　）

（3）许多传统婚礼的习俗现在已经看不到了。　　　　　（　　）

2. **选择正确答案。**Choose the correct answer.

（1）现在的中国婚礼，新娘一般（　　）。

　　A. 穿白色婚纱　　　　　　　　　　B. 戴着红花

　　C. 头上盖着红布　　　　　　　　　D. 穿着红色衣服

（2）中国人可能不喜欢在（　　）结婚。

　　A. 9月9日　　　B. 3月13日　　　C. 6月8日　　　D. 12月12日

小知识　Cultural Tips

中国人的数字
Numbers in China

　　在中国，"好听"一词不仅可以用在声音上，有时还能用在数字上。比如你买东西时，说了一个"二百五"的价格，卖东西的人马上会说"这个价格不好听！"因为"二百五"是"笨；傻"的意思。但如果你说"两百五"，就没什么问题。另外"3"像"散"，"4"像"死"，中国人也不喜欢，而"6"、"8"这样的双数都是中国人喜欢的数字。

　　In China, the word "好听" (sound good) is not only used to describe a sound, but also used for numbers. For example, if you are shopping and offer a price of "二百五" (two hundred and fifty), the seller will say at once, "This price does not sound good!" because "二百五" in Chinese means "stupid, silly". But it is OK to say "两百五". In addition, "3" sounds similar to the Chinese character "散" (scattered), and "4" sounds like "死" (death) in Chinese, which are disliked, while even numbers such as "6" and "8" are favored.

Zì xiāng máodùn
自相矛盾

The Story Behind the Phrase "Self-Contradiction"

你见过矛和盾吗？
中国古代有一个关于它们的小故事。

这是最好的矛，这是最好的盾

矛 (máo) *n.*
spear

盾 (dùn) *n.*
shield

古代 (gǔdài) *n.*
ancient times

矛和盾都是中国古代常用的兵器。矛可以用来刺杀敌人，

盾可以用来保护自己。"自相矛盾"是一个很常用的成语，关于

这个成语有一个非常有趣的故事。

从前，楚国有个卖兵器的人，在市场上卖矛和盾。他一见

到人就说，他的矛和盾都是世界上最好的，可还是没有人买。

最后，他举起盾向周围的人大声说："快来看我的盾啊，我卖的盾是最坚固的，世界上任何东西都不能刺穿它。"过了一会儿，他又举起矛向人们炫耀："快来看我的矛吧，它是最锋利的，无论多么坚固的盾都能刺穿！"听到这里，大家都笑了，觉得他在吹牛。有人就问他："如果用你的矛来刺你的盾，会怎么样呢？"那个人听了，一句话也回答不出来。

后来，人们就用"自相矛盾"来比喻说话、做事前后不一样。

保护 (bǎohù) *v.*
protect

坚固 (jiāngù) *adj.*
solid, firm

刺穿 (cìchuān)
thrust

炫耀 (xuànyào) *v.*
show off

锋利 (fēnglì) *adj.*
sharp

吹牛 (chuīniú) *v.*
boast, brag

比喻 (bǐyù) *v.*
compare to, describe as

想一想 Questions

这个成语的意思是什么？

这个人是怎么炫耀他的矛和盾的？

如果是你，你会怎么卖矛和盾？

语言点 Language Points

任何
anything

1. 世界上任何东西都不能刺穿它。

It cannot be pierced by anything in the world.

"任何"，代词。是"不论什么"的意思，后面常有"都"或"也"跟它呼应。

"任何" is a pronoun that means "anything, no matter what", often followed by "都" or "也".

（1）王小海很喜欢学习，他对任何问题都很认真。

（2）任何吃的东西都可以是火锅的原料。

一……也（没有/不）……
(for emphasis)

2. 那个人听了，一句话也回答不出来。

Hearing this, the guy could not say even one word to answer that.

"一……也（没有／不）……"，表示强调，有夸张意味。

"一……也（没有／不）……" is used for emphasis, often with the connotation of exaggeration.

（1）他一直在忙着，一分钟也没有休息。

（2）那本刚买的书，我一眼也没看呢。

练 习 Exercises

选择正确答案。Choose the correct answer.

（1）盾的作用是（　　）。

    A. 刺穿别的东西　　　　B. 保护自己　　　　C. 一种兵器　　　　D. 保护锋利的矛

（2）矛的特点是（　　）。

    A. 非常锋利　　　　B. 非常坚固　　　　C. 非常结实　　　　D. 保护自己

（3）这个卖东西的人（　　）。

    A. 他的矛比盾好　　　　　　　　B. 觉得别人不相信他

    C. 炫耀自己的东西好　　　　　　D. 卖出了很多矛和盾

（4）"自相矛盾"这个成语比喻（　　）。

    A. 前后不一样　　　　B. 不好意思　　　　C. 不说假话　　　　D. 不讲道理

小知识 Cultural Tips

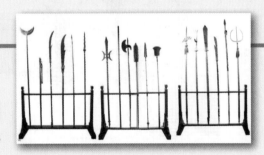

中国古代的兵器
Ancient Chinese Weapons

中国古代有"十八般武艺"之说，其实是指十八种兵器，至于究竟是哪十八种，历来说法不一。而且经过这么长的时间，有的已被淘汰，有的已经演变，现在人们知道得比较多的只有弓、枪、棍、刀、剑、矛、盾、斧、鞭、锤、叉等几种。

There is an ancient Chinese saying, "Eighteen Forms of Martial Arts", which in fact indicates eighteen different weapons. There are a variety of interpretations of what exactly the eighteen weapons are. As time goes by, some weapons have disappeared, and some have undergone certain evolutions. The most commonly known today are bow, spear, stick, broad sword, sword, pike, shield, axe, whip, hammer, fork, etc.

15

Zhōngguó de cháguǎn

中国的茶馆

Teahouses in China

喝茶是中国人的习惯。如果一边喝茶，一边聊天，
一边欣赏中国传统艺术，感觉一定会很不错。

你可能去过大饭店，去过咖啡馆，也可能去过歌厅什么的，
可是你有没有去过中国的茶馆呢？

在中国，几乎每个城市都有茶馆，特别是南方的一些省市，
那里的茶馆几乎和饭馆一样多。不仅城市的马路边有茶馆，公
园里有茶馆，甚至农村都有茶馆了。很多人都有去茶馆的习惯。

几乎 (jīhū) *adv.*
almost

省 (shěng) *n.*
province

农村 (nóngcūn) *n.*
rural area

有些人一大早就到茶馆喝茶，有些人下班后到那里坐上两三个小时，或读书看报，或一边喝茶，一边聊天。到了节假日，朋友们也常常到茶馆里聚会。有些茶馆还经常有各种文化活动。总之，茶馆不但是人们休息的地方，也是人们交流的重要地方，同时，也为国内外的游客提供了一个了解当地文化的机会。

北京的茶馆也不少，其中最有名的是前门附近的老舍茶馆。客人一坐进老舍茶馆，服务员小姐马上就会送来一壶热茶和几种北京小吃。客人可以一边吃着、喝着，一边看中国传统的京剧、杂技等节目。现在，老舍茶馆已经成为一处新的旅游景点，每天都吸引着不少中外游客来参观。

总之 (zǒngzhī) *conj.*
in a word,
in conclusion

交流 (jiāoliú) *v.*
communicate

壶 (hú) *n.*
pot

小吃 (xiǎochī) *n.*
snacks, refreshments

杂技 (zájì) *n.*
acrobatics

节目 (jiémù) *n.*
programme,
item (on a programme)

想一想 Questions

人们在茶馆里
一般做什么?

北京最有名的茶馆
叫什么名字?
它有什么特点?

语言点 Language Points

或（者）……
或（者）……
or

1. 有些人下班后到那里坐上两三个小时，或读书看报，或一边喝茶，一边聊天儿。

Some will go there and sit for several hours after work, reading books or newspapers, or chatting over tea.

"或（者）……或（者）……"，表示选择。

"或（者）……或（者）……" indicates choices.

(1) 朋友们也常常到茶馆里聚会，或谈生意，或讨论问题。

(2) 这个寒假我们全家或者去上海玩儿，或者去北京玩儿。

提供
offer, provide

2. 同时，也为国内外的游客提供了一个了解当地文化的机会。

At the same time, it also offers an opportunity for tourists from home and abroad to know more about the local culture.

"提供"，动词。是"供给（意见、物资、条件等）"的意思。

"提供" is a verb that means "offer (opinions, material, conditions, etc.)".

(1) 学校给我们提供了很好的学习条件，所以我们要好好学习。

(2) 这个饭店为客人提供免费的早餐。

吸引
attract

3. 老舍茶馆……每天都吸引着不少中外游客来参观。

Laoshe Teahouse ... attracts many tourists from home and abroad every day.

"吸引"，动词。是"把别的物体、力量或别人的注意力等引到自己这方面来"的意思。

"吸引" is a verb that means "draw other objects, strength or attention to oneself".

(1) 北京非常吸引我，所以我想在这里多住一段时间。

(2) 那本书的名字吸引了很多老年人的注意。

练 习 Exercises

判断正误。True or false.

（1）北方的茶馆比南方多。　　　　　　　　　　　　（　　）

（2）在茶馆不仅可以喝茶，还可以吃小吃。　　　　　（　　）

（3）茶馆是一个人们一起交流的地方。　　　　　　　（　　）

（4）老舍茶馆在北京的西直门附近。　　　　　　　　（　　）

小知识 Cultural Tips

老舍茶馆
Laoshe Teahouse

　　老舍茶馆是以作家老舍及其名剧《茶馆》命名的茶馆，始建于1988年。老舍茶馆古香古色，京味十足。在这里，大家可以欣赏到京剧、曲艺、杂技等中国优秀民族艺术的精彩表演，同时可以品用各类名茶、宫廷细点、北京传统小吃。自开业以来，老舍茶馆接待了近四十位外国元首和两百多万中外游客。

Laoshe Teahouse was set up in 1988 and named after the famous Chinese writer Laoshe and his well-known modern drama *Teahouse*. It is of typical Beijing features with an antique flavor. Here, people can enjoy splendid Chinese folk arts such as Beijing opera, comic talks and acrobatics, and at the same time savor all kinds of famous tea, royal desserts and traditional Beijing snacks. Since its opening, Laoshe Teahouse has received about forty foreign heads of state and over two million tourists from home and abroad.

海龟和海带

Sea Turtle and Kelp

也许你见过海龟、吃过海带，
可你听过"海归"和"海待"吗？

海龟 =

海待 =

大海 (dàhǎi) *n.*
sea

中间 (zhōngjiān) *n.*
centre

先进 (xiānjìn) *adj.*
advanced

古代中国人认为自己的国家在大海的中间，别的国家都在大海以外很远的地方。所以，他们说自己的国家是"海内"，说别的国家是"海外"。直到现在，人们还是这样说。"去海外"就是"出国；去外国"的意思。

中国人很早就开始去海外留学，但是直到 1980 年以后，去海外留学的人才多了起来。因为他们学习了先进的知识和技术，还会说外语，所以毕业回国后，都有很好的工作和收入。人们把这些从海外留学归来的人称为"海归"（海龟）。

后来，"海归"越来越多，找工作也越来越难了。很多"海归"找不到工作，只好等待。于是，人们又把这些从海外留学归来、等待工作机会的人称为"海待"（海带）。

"海归"和"海待"，最早都是在网上使用的词语，因为有趣，所以很快就流行起来了。

收入 (shōurù) *n.*
income

归来 (guīlái) *v.*
come back

等待 (děngdài) *v.*
wait

流行 (liúxíng) *v.*
prevail,
be widespread

想一想 Questions

"去海外"是什么意思？为什么？

一开始"海归"为什么都有很好的工作和收入？

语言点 Language Points

别的
other

1. 古代中国人认为自己的国家在大海的中间，别的国家都在大海以外很远的地方。

In ancient times, the Chinese thought they were in the middle of a sea and other countries were located far away beyond the sea.

"别的"，是"其他的；另外的"的意思，可以修饰名词，也可以直接代替名词。

"别的" means "other, else". It can be used to modify a noun or substitute a noun.

（1）除了北京，我还想去别的城市看看。

（2）今天晚上我只想吃火锅，不想吃别的。

直到
till

2. 直到现在，人们还是这样说。

Till now, people still say that.

"直到"，动词。后面加表示时间的词语，表示某个动作或状态持续到某个时间。

"直到" is a verb that is used before time markers to indicate some action or status lasts till a certain time.

（1）直到昨天晚上，我才听到这个消息。

（2）那个孩子每天都要吃冰激凌，直到成为北极探险家。

练 习 Exercises

1. 判断正误。True or false.

(1) 在古代，中国在大海的中间，别的国家都在大海以外很远的地方。 （　　）

(2) "海内"是古代中国人对自己国家的称呼，现在已经不这样说了。 （　　）

(3) 中国人从 20 世纪 80 年代开始去海外留学。 （　　）

(4) "海归"和"海待"的说法人们很喜欢。 （　　）

2. 连线。Match up the two columns.

(1) "海归"　　　A. 一种生活在大海中的动物

(2) 海内　　　　B. 中国人说外国

(3) 海外　　　　C. 从海外留学归来、找不到工作、等待工作机会的人

(4) 海龟　　　　D. 中国人说自己的国家

(5) 海带　　　　E. 一种大海中的植物

(6) "海待"　　　F. 从海外留学归来的人

小知识 Cultural Tips

网络语言，你明白多少?
Web Vocabulary—How Much Do You Understand?

　　很多在网上使用的语言非常有趣。比如说，"恐龙"（丑女）、"青蛙"（丑男）、"美眉"或 "MM"（女孩子）、"BF"（男朋友）、"88"（拜拜）、"BT"（变态）等。这些语言都是"网民"、"网虫"们为了提高网上聊天的效率或满足某种特定的需要而使用的语言。

　　The words used on the Internet are very interesting. For example, "恐龙" (dinosaur, means "an ugly lady"), "青蛙" (frog, means "an ugly man"), "美眉" or "MM" (girls), BF (boyfriend), 88 (bye-bye), BT (freak). They are used by the netizens and networms to improve the efficiency of communication or to satisfy a specific need.

神奇的老鼠

Shénqí de lǎoshǔ

Magic Mouse

你见过老鼠吗？

你有没有见过踩不死的老鼠呢？

非洲 (Fēizhōu) n.
Africa

马戏团 (mǎxìtuán) n.
circus

精彩 (jīngcǎi) adj.
wonderful, splendid

伤害 (shānghài) v.
injure

在非洲有一个马戏团。马戏团人不多，只有六七个人。他们的节目也不多，但很有名，因为他们有一只小老鼠。这种小老鼠只生活在非洲，它能完成这个马戏团最精彩的节目。它表演的节目会吸引很多观众，因为只要不伤害它的头，无论谁都踩不死它。你说神奇不神奇？

表演开始了。一个人把老鼠放在地上。接着，那个人踩在了它的身上，老鼠立刻被压扁了。然后，那个人站到了旁边。这时，所有的人都看着这只老鼠。神奇的是，被压扁的老鼠竟然没有死！过了一会儿，它像气球一样，一点点地变大了。很快，它变回了原来的样子，还跳了几下。

这种神奇的老鼠叫做扁鼠。它长得和别的老鼠差不多，但是它的骨头特别坚韧。被东西压住时，它的骨头和肉可以躲开压住它的东西。所以，即使300千克的东西压在它身上也没问题！

踩 (cǎi) *v.*
stamp, trample

压 (yā) *v.*
press

扁 (biǎn) *adj.*
flat

骨头 (gǔtou) *n.*
bone

坚韧 (jiānrèn) *adj.*
firm and tenacious

躲开 (duǒkāi)
dodge

想一想 Questions

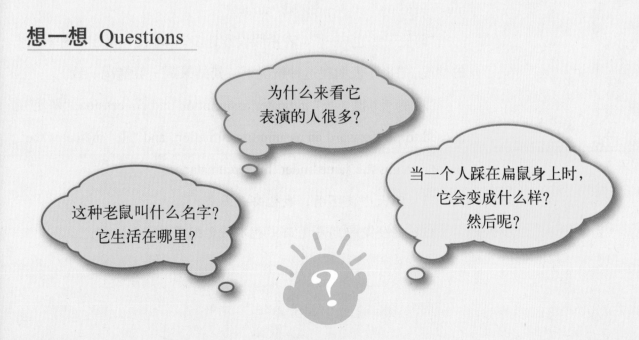

为什么来看它表演的人很多？

这种老鼠叫什么名字？它生活在哪里？

当一个人踩在扁鼠身上时，它会变成什么样？然后呢？

语言点 Language Points

竟然
to one's surprise

1. 神奇的是，被压扁的老鼠竟然没有死！

Miraculously, the crushed mouse did not die!

"竟然"，副词。表示出乎意料，通常放在主语之后，可用于表示好的方面和不好的方面。

"竟然" is an adverb that indicates "to one's surprise". It is often put after the subject and may have good or bad connotations.

(1) 今天我在路上竟然捡到了 10 000 块钱！

(2) 我以为这次考试我能得 100 分，可竟然只得了 59 分！

即使……也……
even though

2. 即使 300 千克的东西压在它身上也没问题！

It does not matter at all even though something weighing three hundred kilograms is pressed onto it.

"即使……也……"，表示假设和让步。"即使"举出一种假设的情况，"也"表明在这种情况下，其结果跟一般情况一致。

"即使……也……" indicates assumption and concession. "即使" is used to put forward an assumptive situation, and "也" indicates the result remains the same under this circumstance.

(1) 明天即使下雨，我也要去买书。

(2) 即使是好朋友见面，也不一定拥抱。

练 习 Exercises

1. 判断正误。True or false.

（1）马戏团表演的节目很多。 （　　）

（2）这种老鼠永远不会死。 （　　）

（3）如果不伤害它的头，300 千克的东西压在它身上也行。 （　　）

2. 选择正确答案。Choose the correct answer.

（1）在"无论谁也踩不死它"里，"踩不死它"的意思是（　　）。

A. 不能把它踩死 　　B. 把它踩死 　　C. 让它死 　　D. 不让它死

（2）本文主要介绍了（　　）。

A. 非洲的马戏团 　　B. 非洲的小扁鼠 　　C. 小扁鼠的骨头 　　D. 看表演的人

小知识 Cultural Tips

鼠——中国的十二生肖之首
Mouse—the First of the Twelve Animal Signs

在中国，"鼠"是十二生肖之首，但鼠的形象并不美好，常常作为负面形象出现，带有"胆小无能"、"目光短浅"、"微不足道"等反面意义，像"胆小如鼠"、"鼠目寸光"、"鼠辈"等词语都带有这些含义。人们偶尔才会想起鼠有精明的一面，说"比老鼠还精"。

In China, the mouse is the first of the twelve animal signs for Chinese years, but it does not have a nice image, and it is often used in negative ways, indicating "cowardice, incapability, shortsightedness and insignificance", in such phrases as "胆小如鼠" (as cowardly as a mouse), "鼠目寸光" (as shortsighted as a mouse) and "鼠辈" (mean creatures, scoundrels). Seldom do people say of someone "比老鼠还精" (smarter than a mouse).

望京——北京的新韩国城

Wàngjīng — Běijīng de xīn Hánguóchéng

Wangjing—a New Korean Zone in Beijing

五道口是北京最早的韩国城。

现在北京已经有了新的韩国城——望京。

韩语 (Hányǔ) *n.*
Korean

警察 (jǐngchá) *n.*
policeman

护士 (hùshi) *n.*
nurse

以前，北京的出租车司机一听客人说韩语，马上就会问："您是去五道口吧？"现在，这个问题已经变成了："您是去望京吧？"

在望京的西园，韩国家庭比中国家庭还多。这里的服务员几乎都会汉韩两种语言。2005 年，望京又请来了会韩语的警察、医生和护士。

中国和韩国虽然是邻居，但是两国人的生活习惯还是有许多不同。比如，韩国人习惯把鞋子放到门外，但是中国邻居觉得门前的地方是大家的，一些中国老人甚至还会生气。韩国人订了外卖，吃完以后就会把碗放在家门口，等着饭馆的服务员拿走。中国邻居看了，会觉得很不卫生。同样，韩国人也不明白为什么早上晚上，都有那么多中国人扭秧歌；为什么中国人会把狗带进电梯……

经过十几年的时间，在这里，中韩家庭的不同习惯已经不再是问题，年轻的韩国人就更加适应这里的生活了。他们从小就生活在这里，还在北京上了大学。他们的汉语说得不但流利而且非常地道。他们的朋友里面，中国人甚至比韩国人还多。

订 (dìng) v.
order

外卖 (wàimài) n.
take-out

扭 (niǔ) v.
swing, wriggle

秧歌 (yāngge) n.
yangge (a popular rural folk dance)

电梯 (diàntī) n.
lift, elevator

适应 (shìyìng) v.
adapt to

流利 (liúlì) adj.
fluent

地道 (dìdɑo) adj.
real, pure, typical

想一想 Questions

现在听到客人说韩语，出租车司机觉得他们可能要去哪儿？

中韩两国人的生活习惯有什么不同？

语言点 Language Points

甚至
even

1. 中国邻居觉得门前的地方是大家的，一些中国老人甚至还会生气。

Chinese residents consider the areas outside the doors as public places, and some old people even get annoyed by this.

"甚至"，副词。强调突出的事例，后面常常和"也"、"都"配合。

"甚至" is an adverb that emphasizes very representative examples, usually followed by "也" or "都".

（1）现在国内国外的经济都不太好，很多"海归"甚至都找不到工作。

（2）姚明现在非常有名，甚至很多外国朋友都知道他是"东方小巨人"。

同样
likewise

2. 同样，韩国人也不明白为什么……有那么多中国人扭秧歌。

The Koreans cannot understand either ... why there are so many Chinese dancing the *yangge*.

"同样"，形容词。表示跟前面说的道理相同。

"同样" is an adjective used to indicate the first and the second clauses can be explained by the same reason.

（1）故宫在世界上很有名，同样，长城也很有名。

（2）8月8日是结婚的好日子，同样，6月6日也是结婚的好日子。

练 习 Exercises

1. **判断正误。**True or false.

　(1) 在望京的西园，中国家庭没有韩国家庭多。　　　　（　　）

　(2) 望京地区有很多人会说汉韩两种语言。　　　　　　（　　）

2. **选择正确答案。**Choose the correct answer.

　(1) 关于北京的韩国城，不正确的是（　　）。

　　A. 五道口也是韩国城　　　　　　B. 出租车司机都知道

　　C. 韩国人已经喜欢扭秧歌了　　　D. 有些韩国人从小就在这里长大

　(2) 下面的行为中，中国人和韩国人一样的是（　　）。

　　A. 把鞋放到门外　　B. 把狗带进电梯　　C. 晚上扭秧歌　　D. 订外卖

小知识 Cultural Tips

北京的外国人聚居区
Communities of Foreigners in Beijing

　　北京的外国人聚居区一般集中在朝阳公园附近，因为那里离使馆区比较近。日坛公园附近、南锣鼓巷等区域也居住着很多外国人。这几年，在五道口和望京也形成了规模较大的外国人聚居区。这和北京的不断发展所带来的商业机会有很大关系。北京这座日益开放的国际化大都市正在成为越来越多的外国人的生活乐园。

Most communities of foreigners in Beijing are located around Chaoyang Park because it is near the embassy region. There are also many foreigners living near Ritan Park and Nan Luogu Alley. In the past several years, due to the development of Beijing and the ever-increasing commercial opportunities, large-scale communities of foreigners have also appeared in Wudaokou and Wangjing. Beijing as an international metropolis is becoming a paradise for more and more foreigners.

19

"Wàn"　zì nán xiě
"万" 字难写

Difficult to Write the Character "万"

你觉得汉字难学吗？
你是怎么学习汉字的？

文盲 (wénmáng) *n.*
illiteracy,
illiterate person

　　从前，有一位老人，他家里的人都是文盲，连最简单的字都不认识。于是，他就请了一位老师教他儿子认字。第一天上学，老师用毛笔在白纸上写了一笔，告诉他儿子说："这是'一'字。"他儿子学得很认真，记住了，回去后就写给父亲看："我学了一个字——'一'。"老人非常满意。

第二天，老师又用毛笔在纸上写了两笔，说："这是'二'字。"这次，儿子不觉得有什么新鲜了。到了第三天，老师用毛笔在纸上写了三笔，说："这是个'三'字。"儿子学完就高兴地跑回家，对父亲说："学习认字太容易了，不用花这么多钱请老师了！"看到儿子这么聪明，老人很快就辞退了老师。

过了几天，老人想请一位姓万的朋友来喝酒，就让儿子早上起来写个请柬。时间慢慢地过去，天快黑了，儿子还没写好。老人有点儿着急了，就跑到儿子房间里看。

进门后，他见儿子正苦着脸坐在桌边，手里拿着一把梳子在一张长长的纸上画着。一见父亲进来，儿子就抱怨说："有那么多的姓，他为什么姓'万'呢？我拿来了母亲的梳子，一次可以写二十多笔。可是从一大早写到现在，手都疼了，也只写了三千多笔！'万'字真难写呀！"

辞退 (cítuì) *v.*
dismiss

请柬 (qǐngjiǎn) *n.*
invitation card

梳子 (shūzi) *n.*
comb

抱怨 (bàoyuàn) *v.*
complain

疼 (téng) *adj.*
sore

想一想 Questions

为什么儿子不学了？

为什么这位老人要让他儿子认字？

儿子为什么用梳子写请柬？

?

语言点 Language Points

连……都/也……
even

1. 他家里的人都是文盲，连最简单的字都不认识。

All his family members are illiterate, they cannot even read the simplest word.

"连……都/也……"，表示强调动作的主体或者动作的对象，有"甚至"的意思。有时也用"连……也……"。

"连……都/也……" indicates an emphasis on the subject or the object of the action, similar to "甚至". Sometimes, "连……也……" is used with the same meaning.

（1）"连"用在名词前。

"连" is used before a noun.

① 在北京住了两年，他连天安门都没去过，更不用说别的地方了。

② 为了不迟到，他连饭也没吃就出门了。

（2）"连"用在动词前，"都"或"也"后面的动词是否定形式。

"连" is used before a verb, and the verb after "都" or "也" are in negative form.

① 我想和他一起去北京学习汉语，他连想都没想就同意了。

② 她连洗衣服都不会，让我很惊讶。

难
difficult

2. "万"字真难写呀！

It is so difficult to write the character "万"！

"难＋动词"，表示事情做起来很不容易。

"难＋ v." indicates "difficult to do".

（1）有人认为，汉语是一门非常难学的语言。

（2）"警察"这两个字有点儿难写。

练 习　Exercises

选择正确答案。Choose the correct answer.

（1）老人的儿子（　　）。

    A. 非常不喜欢学习　　　　　B. 一直学得非常认真

    C. 觉得学习认字很容易　　　D. 觉得学习认字很难

（2）老人辞退了老师，因为他觉得（　　）。

    A. 儿子很聪明　　　　　　　B. 花钱太多了

    C. 儿子学习不努力　　　　　D. 老师教的太简单

（3）天快黑了，老人去儿子的房间，是因为（　　）。

    A. 梳子找不到了　　　　　　B. 儿子的老师来了

    C. 请柬还没写完　　　　　　D. 他想帮儿子一起写请柬

小知识　Cultural Tips

汉字数字的起源
The Origin of Numbers in Chinese

甲骨文
oracle bone inscriptions

　　和其他文字的数字一样，汉字的数字也是在原始计数活动中产生的。在远古时代，人们把玉贝、绳子、竹木等作为计数的工具。甲骨文的"数"字表示的就是结绳记数的形象。现在沿用的汉字数字"一"、"二"、"三"、"四"、"五"、"六"、"七"、"八"、"九"、"十"、"百"、"千"、"万"也是由甲骨文演化而来的。

　　Like numbers in other languages, those in Chinese also originated in ancient counting activities. In remote antiquity, people used jade, shells, ropes, bamboo and wood as tools of counting. The character "数" in the inscriptions on bones or tortoise shells represents the image of rope knots for counting. The numbers "一", "二", "三", "四", "五", "六", "七", "八", "九", "十", "百", "千" and "万" used now in Chinese also evolved from ancient oracle bone inscriptions.

20

Bú yào wàngle jì xìn!

不要忘了寄信!

Do Not Forget to Send the Letter!

容易忘事有时候会带来烦恼，
有什么好办法可以避免它吗？

提醒 (tíxǐng) *v.*
remind

之前 (zhīqián) *n.*
before, prior to, ago

姨妈 (yímā) *n.*
aunt

　　王先生上班前，妻子帮他穿上大衣，把一封信放进他的包里，提醒他说："在你进办公室之前，千万别忘了寄信。这样姨妈明天早上就可以收到了。这封信非常重要。"

　　可是路上王先生偏偏忘了寄信的事。他在城里下了火车，急急忙忙去上班，信还躺在他的包里呢。快离开火车站的时候，一位陌生的先生走过来，拍拍他说："别忘了你的信！"王先生这才想起了妻子的话，马上向附近的邮箱跑去。这时，又一位陌生人对他说："先生，不要忘了寄信！"

王先生感到很奇怪，他把信投入邮箱，立刻离开了火车站。没走多远，一位和蔼可亲的女士微笑着问他："先生，你没忘了寄信吧？"王先生非常惊讶，怎么世界上所有的人都来提醒他寄信呢？他忍不住问这位女士："你们怎么都知道我得寄一封信呢？我早就把信放到邮箱里了。"那位女士大笑之后告诉他说："你的妻子在你的大衣上贴了一张纸条，上面写着：请告诉我的丈夫，他应该寄一封信！"

陌生 (mòshēng) *adj.* strange	
拍 (pāi) *v.* clap, pat	
邮箱 (yóuxiāng) *n.* postbox	
和蔼可亲 (hé'ǎi kěqīn) affable	
惊讶 (jīngyà) *adj.* surprised, amazed	
贴 (tiē) *v.* paste	
丈夫 (zhàngfu) *n.* husband	

想一想 Questions

王先生上班前，他的妻子提醒他什么？

王先生为什么感到奇怪和惊讶？

语言点 Language Points

千万
make sure

1. 在你进办公室之前，千万别忘了寄信。

Make sure to remember to send the letter before you come to the office.

"千万"，副词。是"一定；务必"的意思，表示恳切叮嘱。

"千万" is an adverb that means "make sure you do something" and indicates an earnest warning.

(1) 去旅行的时候千万要注意安全。

(2) 孩子还太小，千万不要给他喝酒。

偏偏
(contrary to expectation)

2. 可是路上王先生偏偏忘了寄信的事。

But Mr. Wang just forgot to send the letter on the way.

"偏偏"，副词。表示动作、行为或事情的发生，跟愿望、预料或常理相反。

"偏偏" is an adverb that indicates certain actions, behaviors or situations are contrary to the wish, expectation or convention.

(1) 明天有口语课，可是我的书偏偏找不到了。

(2) 我忙着写作业的时候，他偏偏过来和我聊天儿。

忍不住
cannot help doing

3. 他忍不住问这位女士："你们怎么都知道我得寄一封信呢？"

He could not help asking the lady, "How did you know that I need to send a letter?"

"忍不住"，表示不能控制自己做某事。

"忍不住" indicates "cannot help doing".

(1) 知道自己这次只考了 30 分，他忍不住哭了。

(2) 那个孩子一见到冰激凌就忍不住想吃。

练 习 Exercises

1. 判断正误。True or false.

    （1）姨妈明天早上收不到信。   （   ）

    （2）王先生自己记得去寄信。   （   ）

    （3）王先生在火车站附近寄了信。   （   ）

2. 选择正确答案。Choose the correct answer.

    （1）那封信是寄给（   ）的。

        A. 王先生   B. 王太太   C. 那个女士   D. 姨妈

    （2）王先生每天坐火车去城里（   ）。

        A. 看姨妈   B. 寄信   C. 买东西   D. 上班

小知识 Cultural Tips

中国的邮政标志
The Symbol of China's Postal Service

    中国的邮政标志是绿色的，因为绿色象征和平、青春、茂盛和繁荣。邮筒、邮递员的衣服以及邮包、邮政车也都采用绿色。而中国的邮政标志，是"中"字和邮政网络的形象互相结合、归纳变化而成的，其中融入了翅膀的造型，容易让人联想起"鸿雁传书"这一中国古代对于信息传递的形象比喻。

    The color green is chosen as the colour of the postal service in China, because it represents peace, youth and prosperity. The color of China's mailboxes, the uniforms of postmen, mail bags and mail wagons are all green. The logo of the postal service in China is a combination of the character "中" and a wing representing the postal network, which brings to one's mind the image of "鸿雁传书" (hóngyàn chuánshū: a swan goose delivering the letter), an ancient expression used in China with the meaning of sending messages or news.

21

Lí hé píngguǒ de gùshi

梨和苹果的故事

The Story of a Pear and an Apple

你吃水果的时候会挑选一下吗？
选大的，还是选小的呢？

让 (ràng) v.
give up (out of courtesy)

文学家 (wénxuéjiā) n.
man of letters, litterateur

礼貌 (lǐmào) n.
courtesy, politeness

今天给大家讲两个故事。一个是"孔融（Kong Rong）让梨"。孔融是中国汉代的文学家。他小时候很聪明，而且很有礼貌，父母都非常喜欢他。一天，父亲买了一些梨，而且拿了一个最大的给孔融。孔融却摇摇头，拿了一个最小的梨说："我年纪最小，应该吃小的梨。那个大梨就给哥哥吧。"父亲听后非常高兴。

"孔融让梨"的故事，一直流传到现在，成了许多中国父母教育子女的好例子。它让我们明白了一个美德：把好的东西留给别人，不要总想着自己。

另一个故事是"艾森豪威尔（Dwight David Eisenhower）争苹果"，说的是美国前总统艾森豪威尔小时候的故事。有一次，他的妈妈拿来一些苹果，告诉他和他的兄弟们，修草坪修得最好的人可以得到最大最红的苹果。为了得到那个苹果，小艾森豪威尔干得最认真。最后，妈妈把那个最大最红的苹果给了他。艾森豪威尔后来写道："这件事几乎影响了我一生。它让我明白了，你只有比别人干得更好，才能得到更多！"

孔融和艾森豪威尔后来都成了历史上有名的人物，但这一让一争，却表现了两种不同的思想和文化。

摇头 (yáotóu) *v.*
shake one's head

流传 (liúchuán) *v.*
circulate, spread

教育 (jiàoyù) *v.*
educate, instruct

例子 (lìzi) *n.*
example

美德 (měidé) *n.*
virtue

争 (zhēng) *v.*
vie for, strive for

草坪 (cǎopíng) *n.*
lawn

人物 (rénwù) *n.*
figure, personage

想一想 Questions

孔融为什么
不要大梨？

艾森豪威尔是怎样得到
那个最大的苹果的？

语言点 Language Points

影响
influence, impact

1. 这件事几乎影响了我一生。

This event has influenced almost my whole life.

"影响"，动词。表示对人或事物起作用。它也可以作名词，表示对人或事物所起的作用。

"影响" is a verb that indicates "have an impact on people or things". It can also be used as a noun, referring to the influence exerted on people or things.

(1) 父母怕影响孩子的心情，所以不敢问孩子考得怎么样。

(2) 这件事对我的影响很大，以后我做事的时候一定要认真。

一……一……
and

2. 这一让一争，却表现了两种不同的思想和文化。

The two different behaviors of declining and striving for something show differences in cultures and thinking modes.

"一……一……"，分别用在两个意思相对的单音节动词前面，表示两种动作对比、配合或交替进行。"一"的后面还可以是方位名词、形容词等，例如，"一南一北"、"一大一小"。

"一……一……" is used respectively before two single-syllable verbs with opposite meanings to indicate a contrast, interaction or alternation. Nouns of location and adjectives can also be used after "一", e.g., "一南一北", "一大一小".

(1) 老师和学生在汉语课上一问一答，非常有意思。

(2) 他们两个人一前一后走进了学校。

练 习 Exercises

1. 判断正误。True or false.

（1）父母非常喜欢孔融，所以把大梨给了他。 （ ）

（2）很多中国父母用孔融的例子教育他们的孩子。 （ ）

（3）艾森豪威尔只想着自己，所以拿了最大的苹果。 （ ）

2. 选择正确答案。Choose the correct answer.

（1）孔融让梨是因为他觉得自己（ ）。

A. 最聪明　　B. 年龄小　　C. 有礼貌　　D. 能让父亲高兴

（2）妈妈最后把大苹果给了艾森豪威尔，是因为他（ ）。

A. 最可爱　　B. 最认真　　C. 年龄最小　　D. 年龄最大

小知识 Cultural Tips

中国人的谦让
The Modesty of the Chinese

　　谦让是中国人的传统美德。在生活和工作中，多为他人着想、不以自我为中心，更能增进人与人之间的团结和友谊。但是，在充满竞争的时代，人们对谦让也有了新的理解。因为一味谦让容易让人遇事退缩，失去进取心，还会伤害人的积极性。所以，现在越来越多的中国人认识到谦让也要适度。

　　Modesty is a traditional virtue of the Chinese. In daily life and work, to think more of others and not to be self-centered will indeed enhance unity and friendship among people. However, people start to have a new understanding of modesty in a time of competition, for overly modest people tend to cower in the face of competition and lose their aspirations and initiatives. As a result, more and more Chinese people have realized that modesty should have its limit.

22

Wǒ zài Nánjīng de wǎngluò shēnghuó

我在南京的网络生活

My Life as a Netizen in Nanjing

你喜欢上网吗？

你在上网的时候都做些什么？

好一朵美丽的茉莉花

点 (diǎn) v.
click

鼠标 (shǔbiāo) n.
mouse (for a computer)

电子地图
(diànzǐ dìtú) n.
digital map

享受 (xiǎngshòu) v.
enjoy

　　随着网络的发展，现在人们的生活越来越离不开它了。在我的留学生活中，网络也非常重要。比如，我想去南京的任何地方，只要打开"南京公交网"，点一下鼠标，一张电子地图就会立刻出现在我眼前，非常方便。你相信吗，我到南京才半年，可已经差不多走遍南京城了。

如果我在饭馆吃到一道好吃的中国菜，我一定记住它的名字。回去后，我会在网上找到它的做法，慢慢学习，这样我就可以在房间里享受自己做的美味了。

我喜欢听音乐，网上的音乐资源非常丰富，很容易找到好听的歌。我经常找喜欢的中国歌曲，边学边唱"对面的女孩看过来……"、"好一朵美丽的茉莉花……"等等。由于经常练习，我进步很快，还参加了"外国人唱中国歌"的比赛呢！

网上购物也很方便。我经常上"易趣网"买衣服和生活用品，上"当当网"和"卓越网"买书。这些网站都送货上门，我只要坐在电脑前点鼠标，一切就都OK了！

美味 (měiwèi) n.
delicious food,
dainty delicacy

资源 (zīyuán) n.
resource

丰富 (fēngfù) adj.
rich, plentiful

进步 (jìnbù) v.
improve, progress

购物 (gòuwù) v.
do shopping

送货上门
(sònghuò shàngmén)
home delivery service

　送货 (sònghuò)
　deliver goods

　上门 (shàngmén)
　door to door

想一想 Questions

"我"在哪个城市留学？
留学多长时间了？

"我"会唱中国歌吗？
唱得怎么样？

语言点 Language Points

只要……就……
as long as, as soon as

1. 只要打开"南京公交网",点一下鼠标,一张电子地图就会立刻出现在我眼前。

A digital map will appear as soon as I log onto the website of Nanjing Bus Online and click the mouse.

"只要……就……",表示必要条件。

"只要……就……" indicates a prerequisite. "只要" can be put before or after the object.

(1) 只要我有了女朋友,就一定告诉你。

(2) 你只要努力,就一定能学好汉语。

边……边……
while

2. 我经常找喜欢的中国歌曲,边学边唱。

I usually look for Chinese songs that I like and learn them while singing.

"边 A 边 B",表示动作 A 和动作 B 同时进行。

"边 A 边 B" indicates action A takes place simultaneously with action B.

(1) 星期天,我经常边听音乐边洗衣服。

(2) 上课的时候,同学们边听边写。

练习 Exercises

1. 判断正误。True or false.

(1) 如今,网络是人们生活的重要内容。　　　　( )

(2) 我在网上参加了"外国人唱中国歌"比赛。　　( )

(3) 如果我在饭馆吃到了好吃的中国菜,我就问服务员
它的做法。　　　　　　　　　　　　　　　( )

2. 选择词语填空。Choose the proper words to fill in the blanks.

送货上门　重要　中国歌　网上购物　电子地图　中国菜

　　在我的留学生活中，网络非常 _____。我想去南京
的任何地方，都可以在网上看 _____；我还在网上学做
_____、学唱 _____；_____ 也很方便，因为很
多网站可以 _____。

3. 填写下面的表格。Fill in the table below.

网站的名字	可以做什么
	看电子地图
易趣网	
	买书

小知识 Cultural Tips

南京夫子庙秦淮河
Confucius Temple and Qinhuai River in Nanjing

　　夫子庙秦淮河风景区地处南京城南，是以夫子庙为中心、秦
淮河周边的一片景区，包括秦淮河水上游船和沿河的楼阁景观，
集古迹、园林、画舫、市街、楼阁和民俗民风于一体，还有秦淮夜市、灯会、地方风味小吃等，
是庙市街景合一的文化、旅游、商业、服务等多功能旅游胜地。

　　Located in the south of Nanjing, the Scenic Zone of Confucius Temple and Qinhuai River has the Confucius Temple as the centre with Qinhuai River surrounding it, where one can see pavilions alongside and tourist boats. It is a place that one can see relics, gardens, colourfully painted boats, city streets, towers and folk arts. Besides, there are the Qinhuai Night Market, lantern parties and typical local snacks to enjoy. It is a tourist resort of multi-functions, combining culture, tourism, commerce and all kinds of touristic services altogether.

23

Hútòng li zǒu chūlái de míngxīng

胡同里走出来的明星

A Superstar from Hutongs

《卧虎藏龙》（*Crouching Tiger, Hidden Dragon*）里
有一位漂亮的女明星——章子怡。

章子怡（Zhāng Zǐyí）

生日（Birthday）：1979 年 2 月 9 日

身高（Height）：164 厘米

体重（Weight）：49 千克

出生地（Birth Place）：北京

血型（Blood Type）：O 型

星座（Zodiac）：水瓶座（Aquarius）

国际 (guójì) *adj.*
international

生长 (shēngzhǎng) *v.*
grow up

幼儿园 (yòu'éryuán) *n.*
kindergarten

　　章子怡 8 岁开始学习跳舞，17 岁考进中央戏剧学院，19 岁出演张艺谋的电影《我的父亲母亲》，21 岁又因为《卧虎藏龙》的成功走向了世界，25 岁已经成为国际明星。10 年前，没有人能想到，这个从胡同里走出来的女孩儿能这样成功。

　　生长在北京的章子怡小时候是一个普通的孩子。她的母亲

是幼儿园老师，所以她小时候最大的心愿，就是长大后能当幼儿园老师。因为身体不太好，父母就送她去学跳舞，希望她的身体能变得强壮一些。章子怡说："虽然每个周末都去学跳舞，但是我更希望周末能去公园。可是爸爸妈妈工作都非常辛苦，还要照顾我和哥哥，到了星期天，已经累得不可能带我们出去玩儿了。"那时，章子怡还常常希望能看到家门口多几辆自行车。每次看到有别人的自行车停在自己家门前，她都特别高兴，因为如果家里来了客人，就会很热闹。

　　11 岁时，章子怡考上了中国最好的舞蹈学校。那里对学生身材的要求非常高，在当年的两千多个孩子里，章子怡是唯一一个被录取的。这也是她以后走上"明星路"的开始。

心愿 (xīnyuàn) *n.*
wish

强壮 (qiángzhuàng) *adj.*
strong

辛苦 (xīnkǔ) *adj.*
hard, toilsome

舞蹈 (wǔdǎo) *n.*
dance

身材 (shēncái) *n.*
figure

当年 (dàngnián) *n.*
that year

录取 (lùqǔ) *v.*
enrol, admit

想一想 Questions

章子怡是什么时候开始演电影的？

小时候她为什么希望家门口有别人的自行车？

语言点 Language Points

一些
a little

1. 希望她的身体能变得强壮一些。

(They) hoped she would get a little stronger.

"一些",量词。在"动词/形容词+些"结构中,表示稍微,前面用数词限于"一",口语中一般省去不说。

"一些" is a quantifier used in "v./adj. + 些" to indicate "a little or some". The only number used before it is "一", which is often omitted in oral Chinese.

(1) 网络上的资源比图书馆里的更多一些。

(2) 中国的南方比北方潮湿一些。

唯一
only

2. 在当年的两千多个孩子里,章子怡是唯一一个被录取的。

Zhang Ziyi was the only one admitted out of two thousand children that year.

"唯一",形容词。是"只有一个"的意思。

"唯一" is an adjective that means "only".

(1) 小时候,她唯一的心愿就是当幼儿园老师。

(2) 孔融把唯一的大梨让给了哥哥。

练 习 Exercises

1. 判断正误。True or false.

(1) 章子怡小时候最大的心愿是成为国际明星。 （　　）

(2) 章子怡小时候常常希望家里来客人。 （　　）

(3) 章子怡在演《卧虎藏龙》之前已经很有名了。 （　　）

2. 选择正确答案。Choose the correct answer.

(1) 关于章子怡，下面不正确的是（　　）。

　A. 8 岁就开始学习跳舞　　　B. 她的父母工作很忙

　C. 小时候身体不是很好　　　D. 她家只有她一个孩子

(2) （　　）不是章子怡小时候的愿望。

　A. 有机会拍电影　　　　　　B. 当幼儿园老师

　C. 家里能热闹点　　　　　　D. 和父母去公园

小知识　Cultural Tips

张艺谋
Zhang Yimou

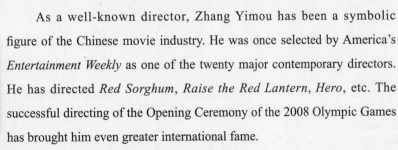

　张艺谋是知名的电影导演,一直都是中国电影的标志人物。他曾被美国《娱乐周刊》评选为当代世界二十位大导演之一。他导演了《红高粱》、《大红灯笼高高挂》、《英雄》等影片。成功导演 2008 年奥运会开幕式更让他享誉世界。

　　As a well-known director, Zhang Yimou has been a symbolic figure of the Chinese movie industry. He was once selected by America's *Entertainment Weekly* as one of the twenty major contemporary directors. He has directed *Red Sorghum*, *Raise the Red Lantern*, *Hero*, etc. The successful directing of the Opening Ceremony of the 2008 Olympic Games has brought him even greater international fame.

24

唐诗两首
Two Poems of the Tang Dynasty

《春晓》和《静夜思》是中国有名的古诗。

你能从它们的题目中猜出诗歌的主题（zhǔtí：theme）吗？

春　晓
Dawn of Spring

孟浩然

春眠不觉晓，

处处闻啼鸟。

夜来风雨声，

花落知多少。

眠 (mián) v.
sleep

觉 (jué) v.
realize

晓 (xiǎo) n.
dawn

闻 (wén) v.
hear

　　孟浩然（689—740）是唐代著名诗人。这首诗写的是春天的早晨刚醒来时的景色。

　　在春天的晚上一直甜甜地睡到天亮，醒来听见鸟叫的声音，这时才想起昨夜好像下过雨、刮过风，不由得想：被风雨吹打下来的花儿不知道有多少啊。

静夜思

In the Still of the Night

李　白

床前明月光，

疑是地上霜。

举头望明月，

低头思故乡。

啼 (tí) *v.*	(of certain birds and animals) crow
诗 (shī) *n.*	poem
刮 (guā) *v.*	(of wind) blow
吹 (chuī) *v.*	blow
疑 (yí) *v.*	doubt, suspect
霜 (shuāng) *n.*	frost
举 (jǔ) *v.*	raise, lift
望 (wàng) *v.*	look into the distance
伟大 (wěidà) *adj.*	great
照 (zhào) *v.*	shine, reflect

　　李白（701—762）是中国古代最伟大的诗人之一。这首诗写的是诗人在静静的月夜想念故乡。

　　坐在床前看着明月照在地上，好像白霜一样。诗人看到天空中的明月，不由得低下头来，想念自己的故乡。

想一想 Questions

《春晓》这首诗写的是什么样的景色？

《静夜思》是什么意思？表达了作者什么样的感受？

语言点 Language Points

刚
just now

1. **这首诗写的是春天的早晨刚醒来时的景色。**

This poem writes about the scene of a spring dawn when one has just woken up.

"刚"，同"刚刚"，副词。表示发生在不久之前，或紧挨在另一个动作之前发生。

"刚" is similar to "刚刚". It is an adverb that indicates a certain action happened not long ago, or just after another action.

(1) 他刚来了一会儿又走了。

(2) 我昨天刚在网上订了书，今天他们就送书上门了。

不由得
cannot help doing

2. **不由得……想念自己的故乡。**

Stooping, (I) cannot help … missing my hometown.

"不由得"，副词。是"不由自主地"的意思。

"不由得" is an adverb that means "cannot help doing", "cannot but".

(1) 电影实在太感人 (gǎnrén: moving) 了，观众不由得流下泪来。

(2) 听到这个好消息，他不由得笑了起来。

练 习 Exercises

1. 说一说这两首诗的意思。

2. 背诵这两首诗。

3. 能不能向大家介绍一下你了解的诗歌或者诗人？

小知识 Cultural Tips

唐诗
Poetry of the Tang Dynasty

李白
Lǐ Bái

杜甫
Dù Fǔ

白居易
Bái Jūyì

　　唐代是中国古典诗歌发展的最高峰，虽然离现在已有一千多年了，但许多诗篇还是广为流传。唐代的诗人特别多，李白、杜甫、白居易等都是世界闻名的伟大诗人。唐诗在体式上形成了五七言律体的定型，在创作方法上风格多样，形成了我国古典诗歌的优秀传统。

Chinese classical poetry reached its summit of development in the Tang Dynasty. Though it has been over a thousand years since then, many poems from that time are still popular among the people. There were many poets in the Tang Dynasty, such as the world-famous Li Bai, Du Fu and Bai Juyi. Poetry of the Tang Dynasty employs the form five- or seven-character verses, varies in styles of creation, and sets an outstanding example for later poetry development in China.

25

绑在一起的翅膀

Wings Tied Together

你认为相爱的人
应该每一分钟都在一起吗？

遇见 (yùjiàn) v.
meet, come across

巢 (cháo) n.
nest

相爱(xiāng'ài)
love each other

在森林里，住着两只鸟。一只住在东边，一只住在西边。有一天，东边的鸟在森林中间遇见了西边的鸟。因为它们第一次遇到和自己长得一样的鸟，所以很快成了好朋友。两只鸟每天早上都飞到森林中间见面，一起找食物，晚上再各自飞回自己的巢。它们觉得在一起的时间过得特别快。它们相爱了。

为了可以一直在一起，很快它们就离开了自己的巢，一起在森林中间建了一个大巢。但是，两只鸟太相爱了，它们觉得这样还是不够，因为它们有时候在林间找食物时，还会看不到对方。"为了证明我们深深地相爱，我们把翅膀绑在一起吧。"一只鸟说。"好啊。"另一只鸟答应了。于是，它们用枝条把自己的翅膀绑在了一起。

第二天早上，两只鸟醒来后准备一起去找食物。但当它们跳出鸟巢时，却同时重重地摔在了地上。这时它们才知道，两只鸟虽然有四只翅膀，但绑在一起，却谁也不能飞。它们一起咬开枝条，张开翅膀飞向空中。一只鸟说："爱，需要空间。"另一只鸟说："爱，也需要自由。"

两只鸟从此过着幸福快乐的日子。

对方 (duìfāng) *n.*
other side

证明 (zhèngmíng) *v.*
prove

答应 (dāying) *v.*
agree, promise

枝条 (zhītiáo) *n.*
branch, twig

摔 (shuāi) *v.*
fall, hurtle down

张开 (zhāngkāi) *v.*
stretch, spread

空间 (kōngjiān) *n.*
space, room

自由 (zìyóu) *n.*
freedom

想一想 Questions

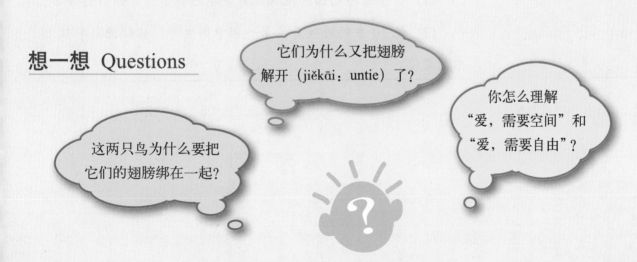

它们为什么又把翅膀解开（jiěkāi：untie）了？

你怎么理解"爱，需要空间"和"爱，需要自由"？

这两只鸟为什么要把它们的翅膀绑在一起？

语言点 Language Points

各自
on one's own,
respectively

1. 晚上再各自飞回自己的巢。

At night, they would fly back to their own nests respectively.

"各自"，代词。是"个人自己"的意思。

"各自" is a pronoun that means "each, oneself, respectively".

(1) 美国人、欧洲人、中国人，有各自买车的特点。

(2) 上完课，同学们各自回家了。

从此
from then on

2. 两只鸟从此过着幸福快乐的日子。

The two birds live a happy life from then on.

"从此"，副词。"此"是"这"的意思。"从此"表示从这个时候开始。

"从此" is an adverb that indicates "from a specific time on", with "此" meaning "这".

(1) 听了老师的话，他从此再也不迟到了，开始好好学习。

(2) 他10岁的时候看了第一部中国电影，从此他就喜欢上了中国文化。

练 习 Exercises

判断正误。True or false.

（1）最开始的时候，两只鸟住在一起。　　　　（　　）

（2）两只鸟白天见面，晚上分开。　　　　　　（　　）

（3）两只鸟住在森林中间以后，所有的时间都在一起。（　　）

（4）两只鸟把翅膀绑在一起，很容易就能找到食物。　（　　）

小知识 Cultural Tips

爱，需要空间
Love Needs Space

还有一个与这两只鸟相似的故事。两只相爱的刺猬住在一起，它们紧紧相依，但彼此的刺却深深地刺痛了对方，因此不得不保持适当的距离。这两个故事都说明了一个道理：爱，是需要空间的。过多的管束和限制会让彼此感到压抑和窒息，而适当的距离和空间则可以使彼此的感情正常地发展。这样，爱才牢固。

There is another story similar to that of the two birds. Two hedgehogs, who love each other very much, live together. They snuggle closely, but their thorns prick each other. It hurts a lot, so they have to keep a certain distance. The two stories both tell us that love needs space. Too much control and constraint will make both parties depressed and suffocated; proper distance will help to develop and consolidate the relationship in a natural way.

练习答案
Answer Keys

1. × × ✓ ✓ ×

2. ✓ × × × ×

3. × × ✓

4. ✓ ✓；(1)–B, (2)–A, (3)–C；CA

5. BCD

6. × ✓ ✓

7. ✓ ×AD

8. ✓ × ✓ ✓

9. CAAD

10. ✓ ✓ ×

11. BAA

12. AA

13. ✓ × ✓ AB

14. BACA

15. × ✓ ✓ ×

16. × × × ✓；(1)–F, (2)–D, (3)–B, (4)–A, (5)–E, (6)–C

17. × × ✓ AB

18. ✓ ✓ CD

19. CAC

20. × × ✓ DD

21. ✓ ✓ ×BB

22. ✓ ✓ ×

23. × ✓ ×DA

24. (无)

25. × ✓ × ×

声　明

　　本书所采用的语料，大多来自报刊、杂志、网络。根据本书的特点和需要，我们对所选材料进行了删节和改编。因时间紧迫，部分作者尚未联系上，请作者主动与我们联系，我们将按著作权法有关规定支付稿酬。在此，我们谨对原文作者表示感谢。